Un grand Week-end

à AMSTERDAM

UN GRAND WEEK-END

à AMSTERDAM

À tire d'aile, il ne faut pas plus d'une heure pour aller à Amsterdam et il faudrait vraiment se faire violence pour ne pas se rendre au plus vite dans une ville qui a donné naissance à autant de clichés : « Venise du Nord », « Reine de la tulipe », « Ville aux cent canaux », « Capitale du diamant », « Ville du Siècle d'or »... Pourtant, Amsterdam ne ressemble qu'à elle-même, et il ne faut pas s'attendre à trouver une blonde plantureuse en sabots avec une meule de gouda sous un bras et une botte de tulipes sous l'autre. Les visages d'Amsterdam sont aussi multiples que ses quartiers qui se frôlent sans se ressembler.

La ville est paradoxale : conservatrice et pionnnière dans beaucoup de domaines. Calviniste bien-pensante, elle est la première à avoir syndiqué la prostitution, ou à avoir pris des mesures draconiennes contre la pollution automobile et légalisé le mariage entre deux personnes du même sexe. De cette tolérance sont nés les *coffee shops* (où la vente et la consommation de résine de cannabis sont tolérées), et cette cohabitation, apparemment bien gérée, de cent quarante-cinq nationalités différentes.

Une chose réunit tous ces Amstellodamiens : le goût du négoce qui les pousse à voyager aux quatre coins du monde pour rapporter des objets rares que l'on retrouve chez les grands antiquaires du Spiegelwijk ou du Rokin. La ville compte aussi des brocanteurs par dizaines, où il fait bon chiner.

Vous profiterez de votre séjour pour faire le plein de bulbes de plantes, de cigares non poudrés et pour aller découvrir les derniers gadgets à la mode dans le quartier du Jordaan. C'est ici aussi que vous pourrez vous habiller à bon marché, à condition de ne pas rechercher à tout prix l'élégance parisienne ou milanaise.

Pas d'affolement : avec ses 730 000 habitants et ses 550 000 bicyclettes, Amsterdam reste une ville aux dimensions modestes, emprisonnée par un réseau de canaux accrochés à la mer. On la parcourt facilement à pied, de maison patricienne en café brun, pour finir par se perdre dans des décors qui rappellent les marines de Van Goyen ou les

scènes de genre de Jan Steen. C'est dans ces moments d'égarement que l'on découvre petit à petit ce que signifie le mot *gezelligheid* : un certain art de vivre qui fait que chacun vit comme il l'entend dans un non-conformisme total. En un rien de temps, un penchant certain pour la fête transforme la rue en scène en plein air. Faunes aux chapeaux pointus, punks aux cheveux violets et jeunes gens sanglés de cuir y sont légion. C'est après avoir assisté à ces spectacles improvisés, admiré la *Ronde de nuit* de Rembrandt et les *Tournesols* de Van Gogh, accoudé au comptoir d'un de ses 1 402 cafés ou dans la lumière hypnotique d'une boîte de nuit branchée, que vous sentirez battre le cœur véritable d'Amsterdam.

Au moment de quitter la ville, après avoir entrevu son vrai visage, balbutié quelques mots de néerlandais, goûté aux mille nuances du genièvre, assisté à l'un de ses quarante spectacles quotidiens, chiné sur tous ses marchés et fait le plein de musées, vous n'aurez plus qu'une envie : celle de revenir.

Partir pour Amsterdam

Le printemps et l'été sont les belles saisons pour profiter pleinement d'Amsterdam mais on n'est jamais à l'abri des sautes d'humeur du climat hollandais. La pluie voire des températures fraîches peuvent vous surprendre à tout moment.

LA MEILLEURE SAISON

Juillet et août, les mois les plus chauds (de 21 à 26 °C) sont aussi ceux durant lesquels la plupart des hôtels appliquent des tarifs de basse saison. Et si vous n'avez pas peur du froid piquant et humide, Amsterdam a son charme au cœur de l'hiver lorsque ses canaux gelés rappellent les paysages des peintres du Siècle d'or.

COMMENT PARTIR ?

La voiture ne vous étant d'aucune utilité à Amsterdam, le moyen de transport le plus rapide et le plus confortable reste l'avion (70 min de vol de Roissy à Schiphol). Moins cher, le train rapide Thalys vous emmène au centre d'Amsterdam en 5 heures. Si vous n'êtes pas pressé, le trajet en car de jour ou de nuit demeure le moyen de transport le meilleur marché mais aussi le plus long (8 heures).

EN AVION

Pour un séjour court, adoptez le format bagage de cabine, ce qui vous permettra d'enregistrer en dernière limite, une demi-heure avant l'envol. Pour les bagages de soute, 23 kg sont autorisés en classe économique et 30 kg en classe affaires. En cas de surcharge, il vous faudra acquitter un supplément de 7 € par kilo.

Air France assure 6 vols quotidiens pour Amsterdam (Schiphol) au départ de l'aéroport Roissy 2,

PAR LE TRAIN

Le nouveau train rapide Thalys relie Paris à Amsterdam en moins de 4 heures et 10 min. Il existe quatre liaisons quotidiennes aller-retour entre la gare du Nord et la Centraal Station située au centre d'Amsterdam. Les habitants du sud de la France et de Lille ont un service TGV jusqu'à Bruxelles, d'où partent de nombreuses correspondances pour Amsterdam. Différents tarifs, de 69 à 174 € l'aller-retour en 2e classe, sont proposés par la SNCF selon que vous choisissez un voyage sans possibilité d'échange ni de remboursement ou une formule week-end. En réservant au moins 15 jours à l'avance, vous bénéficierez des tarifs « Joker », qui offrent jusqu'à 50 % de réduction… mais vous aurez moins de choix dans les horaires. Pour vous renseigner et réserver : ☎ 08 92 35 35 36 www.thalys.com

terminal D. Des vols directs sont organisés tous les jours depuis Bordeaux, Marseille et Montpellier. Outre les tarifs « Week-end », allez sur le site Internet qui propose tous les mercredis des prix cassés sur certaines destinations. La réservation et le règlement se font immédiatement et il est conseillé de s'y prendre le plus tôt possible. Également de nombreuses réductions en réservant son billet longtemps à l'avance. Pour plus de renseignements appelez au ☎ 0 820 820 820 www.airfrance.com

KLM
Paris Nord 2,
BP 601 90
95974 Roissy CDG Cedex
☎ 08 91 70 02 48
www.klm.fr
KLM propose chaque jour 8 vols aller/retour au départ de Paris, 2 vols directs au départ de Lyon, de Marseille, de Nice et de Toulouse, et un vol depuis Strasbourg au tarif « Week-end ».

Certains voyagistes offrent toute l'année des tarifs promotionnels sur vols réguliers ou charters à condition de passer sur place la nuit du samedi au dimanche : **Any Way** ☎ 0 825 008 008 ; **Look** ☎ 0 825 313 613.

SÉJOURS CLÉS EN MAIN

Visit Europ propose de nombreuses formules de forfaits avec avion+hôtel, ou avion+hôtel+voiture, au départ d'une douzaine de villes de France. Spécialisé dans le court séjour, le catalogue **Visit Europ** offre le choix entre plusieurs établissements différents dans le centre d'Amsterdam.

LES FORFAITS

Les voyagistes proposent des formules week-end de 2 ou 3 jours avec un forfait transport (avion, train ou car) et hôtel de différentes catégories. Dans tous les cas, la nuit du samedi au dimanche sur place est obligatoire. L'avantage est double : vous n'avez pas à vous préoccuper des réservations et leurs tarifs négociés seront toujours moins élevés que les prix publics. C'est aussi l'occasion rêvée de séjourner dans un hôtel de luxe à prix modéré (American, Krasnapolsky, Pulitzer, The Grand).

Renseignements et réservations dans toutes les agences de voyages et dans les points de vente Air France ou au ☎ 0 892 88 89 49.

Vous pouvez également vous adresser à **Jet Tours**, filiale tourisme d'Air France, qui offre des prix charters attractifs et des prestations à la carte comme le transfert depuis l'aéroport ou la réservation d'une chambre d'hôtel. Vous trouverez également des séjours Thalys + hôtel. Renseignez-vous auprès de votre agence de voyages ou sur Internet www.jettours.com

Fram propose des formules transport + hébergement. Prix très compétitifs selon les périodes. 128, rue de Rivoli 75001 Paris ☎ 01 40 26 20 00.

Républic Tours a des tarifs très concurrentiels dans les hôtels Pulitzer et Krasnapolsky. Consultez le Minitel 3615 Republic ou appelez le ☎ 01 53 36 55 55.

Nouvelles Frontières, outre ses séjours de 2 à 4 jours, vend des vols secs à 120 € et des billets de train + séjour à des tarifs intéressants. www.nouvelles-frontieres.com ☎ 0 825 000 825. N'hésitez pas à consulter aussi les sites : www.lastminute.com www.degriftour.com

DE L'AÉROPORT AU CENTRE

L'aéroport de Schiphol se trouve à 18 km au sud-ouest d'Amsterdam. Pour se rendre au centre-ville, vous avez trois possibilités. Le moyen le plus rapide et le moins cher est de prendre le train qui vous emmène en 20 min à la gare centrale. Départ toutes les 20 min de 6h à 1h depuis la gare située en sous-sol du terminal. Des tickets sont en vente aux guichets

ouverts jour et nuit (3,10 € pour un trajet ; 5,50 € pour l'aller-retour).
Un bus de la KLM part chaque demi-heure, de 6h30 à 18h devant la sortie principale de l'aéroport à destination de six grands hôtels d'Amsterdam. Le billet à 8,50 € est en vente auprès du chauffeur.

LE *TREINTAXI*

Pour vous rendre de la gare à votre hôtel, empruntez le taxi collectif *treintaxi* dont les départs s'effectuent environ toutes les dix minutes. Le billet forfaitaire (3,80 €) est en vente dans les guichets automatiques de la gare. Pour commander un taxi depuis votre hôtel. ☎ 900 87 34 68 82 www.treintaxi.nl

Le taxi vous emmènera à la porte de votre hôtel pour environ 35 €. Il faut compter entre une demi-heure et une heure de trajet.

EN VOITURE ?

À moins de vouloir visiter les environs d'Amsterdam, la voiture est plutôt une source d'ennuis. Rares sont les hôtels qui possèdent un parking gratuit et vous vous ruinerez en parcmètres (2,80 € l'heure) si vous ne voulez pas voir la voiture immobilisée par un sabot (il vous en coûtera au moins 59 € pour l'ôter). Les dimensions réduites de la ville et les transports en commun fonctionnant jour et nuit vous en dissuaderont sûrement. Toutefois pour les accros de la voiture et si vous avez au moins 21 ans, il est préférable de louer une voiture depuis la France. À Schiphol, les bureaux de location (6h-22h30) se trouvent dans le hall Arrivals entre Central et West. E. Europcar offre les meilleurs tarifs « Week-end ». Attention, il faut réserver un mois à l'avance : ☎ 0 825 352 352. www.europcar.fr Pour faire retirer un sabot ou acheter une carte de stationnement journalière (25,20 €) : Service Parkeerbeheer (plusieurs adresses dans Amsterdam) Stadstoezicht Daniël Goedkoopstraar, 7 ☎ 553 03 33 Ouv. t. l. j. 24h/24.

LA DOUANE

Cosignataires des accords de Schengen, les Pays-Bas n'effectuent pas de contrôle systématique aux frontières pour les ressortissants de l'Union européenne. En venant de Belgique en voiture, vous entrerez aux Pays-Bas absolument sans vous en rendre compte. Toutefois, si vous voyagez en train, vous serez peut-être soumis à la fouille par les douaniers français ou belges en raison des trafics de drogue. Attention donc : si la possession de 5 g de marijuana est autorisée aux Pays-Bas, cela devient tout à fait illégal une fois la frontière franchie ! Les achats en duty free sont contingentés à 200 cigarettes ou 50 cigares, 2 l de vin, 1 l d'alcool de 22° et plus, 2 l d'alcool de moins de 22°, 50 cl de parfum, 25 cl d'eau de toilette et 500 g de café. L'importation d'armes à feu, munitions et armes blanches est interdite. Si vous voulez emmener votre chien ou votre chat, n'oubliez pas de vous munir d'un certificat de vaccination antirabique établi par votre vétérinaire au moins 30 jours avant le départ.

À L'HEURE DE L'EURO

Rappelons-le… depuis le 1er janvier 2002, l'euro a remplacé la monnaie néerlandaise, le florin,

ainsi que les monnaies des 11 autres pays européens appartenant à la zone euro.

De nombreux distributeurs automatiques de billets vous permettent de retirer directement de l'argent avec votre carte de paiement si elle est affiliée à un réseau international (Visa, Diner's, MasterCard, American Express).

La majorité des magasins et établissements acceptent des cartes bancaires internationales. Depuis le 1er janvier 2002, vous pouvez emporter votre chéquier et effectuer vos règlements en euros. Attention cependant au montant des commissions prélevées lors de vos retraits par carte bancaire ou aux frais bancaires si vous utilisez votre chéquier. Renseignez-vous avant votre départ auprès de votre agence.

Vivre à Amsterdam coûte cher. Il faut compter de 18 à 42 € pour un repas, de 3,50 à 9 € pour une entrée de musée, 1,60 € le ticket de tram, de 1,85 à 4 € un café ou une

bière, de 6 à 14 € une entrée de discothèque, de 10 à 22 € une place de théâtre ou de concert. Une fois le transport et l'hébergement payés (de 500 à 750 €), il faudra compter de 400 à 600 € à dépenser sur place.

Bien sûr, si vous avez un budget d'étudiant, Amsterdam est pourtant une ville très abordable : on trouve à se loger et à se nourrir pour pas grand-chose mais dans des conditions de confort… spartiates. Dans tous les cas, le choix des établissements (hôtels ou restaurants) est très étendu et vous trouverez toujours le gîte et le couvert qui conviennent à votre portefeuille. Amsterdam est la ville des diamants, des antiquaires, des livres et des objets insolites. C'est donc plutôt dans ces domaines que vous aurez des prix beaucoup plus intéressants qu'en France. Dans le domaine des gadgets, de la déco, des vêtements de prêt-à-porter ou des accessoires de qualité

SANTÉ

Si vous suivez un traitement médical, prenez suffisamment de médicaments avec vous car vous ne serez pas assuré de retrouver les mêmes à Amsterdam. Les ressortissants de l'Union européenne ont droit à une assistance médicale gratuite (soins et médicaments), auprès des médecins agréés par l'ANOZ. *(Algemeen Nederlands Onderling Ziekenfonds)*, sur présentation du formulaire E111 qui est fourni sur demande préalable par la caisse d'assurance maladie nationale.

Vous serez peut-être étonné de voir à Amsterdam des boutiques de parapharmacie. Elles sont plus nombreuses et beaucoup mieux approvisionnées que chez nous. On y trouve du dentifrice, des produits de soin pour les cheveux ou des crèmes solaires mais aussi des vitamines, des compléments alimentaires et même certains médicaments qui ne sont délivrés habituellement qu'en pharmacie.

courante, les prix sont attractifs et vous dénicherez souvent des articles introuvables chez vous. La mode générale suit plutôt les grandes tendances anglo-saxonnes et vous verrez davantage de jersey, de vinyl, de matières synthétiques ou de Skaï fluo que de lin naturel ou de soie sauvage…

LES FORMALITÉS

Les ressortissants de l'Union européenne, y compris les mineurs de moins de 16 ans, doivent être en possession d'une carte d'identité en cours de validité ou d'un passeport périmé depuis moins de 5 ans. Pour les citoyens des autres pays, il faudra s'adresser à l'ambassade des Pays-Bas qui délivrera un visa si nécessaire (7, rue Éblé, 75007 Paris
☎ 01 40 62 34 66 ;
ouv. lun.-ven. de 9h30 à 15h).

ASSURANCE

Les forfaits proposés par les voyagistes comprennent généralement une assurance assistance-rapatriement mais non l'assurance annulation et bagages. À condition de régler l'achat de votre billet d'avion ou de train avec une carte de paiement internationale, vous bénéficiez automatiquement d'une bonne assistance médicale et rapatriement. Si vous effectuez les réservations vous-même, il est toujours prudent de souscrire une assurance rapatriement auprès d'un organisme agréé comme **Europ assistance**.
☎ 01 41 85 85 85.

L'HEURE LOCALE

Vous vivrez à Amsterdam à la même heure qu'en France, hiver comme été.

LE VOLTAGE

Comme en France, le courant est aux Pays-Bas de 220 volts et les prises de courant sont identiques.

LA FÊTE DE LA REINE

Si vous décidez de partir à Amsterdam à la fin du mois d'avril, sachez qu'il faut vous y prendre longtemps à l'avance pour réserver votre chambre d'hôtel. Le 30 avril, jour de la fête de la reine (voir p. 33), l'ambiance bat son plein dans toutes les villes hollandaises, et les hôtels sont pris d'assaut. En général, la véritable fête se déroule le week-end précédant ou suivant le 30 avril.

LES REFLETS DU SIÈCLE D'OR

Au XVIIᵉ s., liberté de pensée et commerce sont les deux moteurs qui permettent à Amsterdam de devenir l'une des capitales les plus florissantes d'Europe. Elle accueille les proscrits de tout bord et double sa superficie en l'espace de dix ans, tandis que, sous la bannière de la prestigieuse compagnie des Indes, des bourgeois entreprenants disputent aux Portugais le monopole du commerce des épices.

▲ *Jean Calvin, gravure sur bois du XVIᵉ s.*

LE CREDO CALVINISTE

« Prenons le gain qui nous viendra comme de la main de Dieu. » Avec un tel enseignement, Jean Calvin ne pouvait que séduire les marchands amstellodamiens qui rejetaient définitivement la tutelle catholique espagnole et accueillaient de nombreux réfugiés en leur garantissant liberté de conscience, liberté de religion et liberté économique.

LIBÉRALISME ÉCONOMIQUE ET RELIGIEUX

L'énorme apport de capitaux étrangers permet de financer des expéditions maritimes, mais aussi de développer l'industrie locale : brasserie, fabrication de soie, taille des diamants, imprimerie, cartographie, construction navale.

« En cette grande ville où je suis, n'y ayant aucun homme, excepté moi, qui n'exerce la marchandise, chacun y est tellement attentif à son profit, que j'y pourrais demeurer toute ma vie sans sans être jamais vu de personne. »
René Descartes, 1631.

UNE VILLE SANS PALAIS

Le bourgeois calviniste ne s'enrichit que dans le but de thésauriser. Pas de luxe ostentatoire, pas de palais et donc pas d'architecture digne de ce Siècle d'or. Seules quelques bandes décoratives, masques, grotesques viennent égayer la modeste façade en

Frans Hals : *Le banquet du corps des Archers.*

brique surmontée d'un pignon. Et puisque l'impôt est déterminé par le *kavel*, parcelle constructible de 7,35 m de façade sur 60 m de profondeur, peu nombreux sont ceux qui se risquent à doubler ou tripler la parcelle.

L'URBANISME AVANT LA LETTRE

Afin d'abriter une population qui a triplé en l'espace de quarante ans, on décide de l'élargissement de la ville en creusant trois nouveaux canaux, le Herengracht, le Keizersgracht et le Prinsengracht, enserrant le port et les vieux quartiers. Bâtie d'un seul jet, la ville doit son harmonie au dirigisme du conseil municipal qui impose non seulement le matériau de construction et les dimensions des maisons, mais regroupe aussi les habitants selon leur statut social, leur fonction ou leur origine.

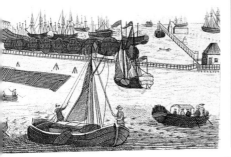

NAISSANCE D'UN ART BOURGEOIS

Délivrée de la tutelle religieuse, la peinture se diversifie dans des genres qui dévoilent les préoccupations matérielles de bourgeois mécènes. Les commandes de portraits isolés ou en groupe affluent dans les ateliers de peintres réputés comme Rembrandt et

Gerard Dou : *La femme hydropique.*

Frans Hals. La représentation de paysages ou d'intérieurs dépouillés d'églises connaît un succès inégalé ailleurs.

Mais dans ces reproductions très réalistes veille la morale protestante : les scènes de taverne dépeignent les excès d'alcool et de tabac, tandis que les fleurs flétries des natures mortes rappellent la vanité des biens terrestres.

REMBRANDT PAR LE PETIT BOUT DE LA LORGNETTE

R embrandt van Rijn, s'appelait en réalité Rembrandt Harmenszoon, c'est-à-dire : « Rembrandt fils d'Harmen ».
Marié en 1634, il prend pour maîtresse la nourrice de ses enfants. Mais celle-ci le quitte en 1649 et poursuit le peintre en justice pour n'avoir pas tenu sa promesse de mariage. L'artiste engage alors une jeune servante, Hendrickje Stoffels, qui devient sa compagne.
Mais cette conduite est jugée scandaleuse, car Rembrandt, au faîte de sa notoriété, est considéré comme un personnage public. L'Église réformée lui adresse un blâme et une réprimande.
Une interdiction de communier frappe même la malheureuse Hendrickje. L'opinion, très puritaine, se détourne du peintre qui meurt dans la disgrâce.

VERS LE MODERNISME

Se démarquant de l'exubérance florale de l'Art nouveau qui fait fureur en France et en Belgique, la Hollande se tourne vers une forme plus rationnelle de l'architecture, tout en mettant à l'honneur les nouvelles techniques industrielles. Introduire l'art dans la vie quotidienne par le biais de meubles et d'objets est devenu, à Amsterdam comme ailleurs, une priorité. C'est le début du design.

LE NOUVEAU CREDO ESTHÉTIQUE

L'exposition « Arts and Crafts » à Londres en 1880 devait être le départ d'une nouvelle esthétique qui eut une répercussion importante en Hollande, pays de culture germanique sans doute plus sensible à une certaine rigueur. Le culte de la ligne pure et le géométrisme sont les vecteurs d'un art qui s'oriente peu à peu vers l'expressionnisme.

LE FONCTIONNALISME

H. P. Berlage fait figure d'avant-gardiste en exploitant de manière fonctionnelle les qualités de matériaux anciens et nouveaux.

Dans la monumentale Bourse d'Amsterdam (1898-1903), il réussit à mettre en œuvre avec sobriété une structure absolument nue de verre et d'acier, reposant sur une construction de brique et de pierre.

L'ÉCOLE D'AMSTERDAM

Pour la nouvelle classe laborieuse, la municipalité socialiste prévoit la construction de logements bon marché dans le sud d'Amsterdam. Rationalisme et progressisme

sont les mots d'ordre. Pourtant, l'ensemble du « Dageraad » conçu de 1921 à 1923 par Michael de Klerk et P. L. Kramer relève plutôt du fantastique. Ondulations, élancements verticaux, jeux de couleurs évoquent de manière assez ludique les idées du mouvement expressionniste.

LE MOUVEMENT « DE STIJL »

Fondé à Leyde en 1917 par Théo van Doesburg, le mouvement « De Stijl », dont

A ncien décorateur de théâtre, **Robert Dusarduyn** s'est spécialisé depuis 1972 dans l'objet et le meuble Art déco. Sa collection des velours de l'École d'Amsterdam est réputée.
**Molsteeg, 5 et 7
Ven. 12h30-18h, sam.
11h30-18h, dim. 13h-16h
ou sur r.-v.
☎ 623 21 89.**

Piet Mondrian est le meilleur représentant, se développe sur les bases du néoplasticisme. Cette théorie picturale est caractérisée par l'emploi rigoureux de moyens d'expression simples : lignes horizontales et verticales avec des à-plats de couleurs primaires parfois accompagnés de noir et de blanc purs ou mélangés.

UN PIONNIER DE L'ART ABSTRAIT

Influencé par Toorop et Seurat à ses débuts, Mondrian est considéré comme un des pionniers de l'abstraction. Il a profondément marqué toute la peinture occidentale contemporaine tant par ses tableaux (*Composition en rouge, jaune et bleu* ; *Victory Boogie-Woogie*…) que par ses écrits comme le *Manifeste de De Stijl*, *Le triptyque de l'Évolution*, *Réalité naturelle et réalité abstraite*…

MODERNISME ET VIE QUOTIDIENNE

Gerrit Rietveld (1888-1964), en donnant aux formes de ses créations une orthogonalité rigoureuse, affirme son appartenance au mouvement « De Stijl ». Le célèbre fauteuil rouge et bleu, dessiné en 1919, marque l'avènement de meubles simples qui se prêtent à la fabrication en série. Son travail ira vers des formes de plus en plus épurées dont lui sont redevables de nombreux designers actuels.

L'ART DÉCO

La production très composite de la première moitié du XXe s. est regroupée sous cette vaste appellation née lors de l'Exposition internationale de Paris en 1925.

Lampe Art déco chez Robert Dusarduyn.

Retour aux styles du passé, formes massives, couleurs contrastées, décors géométriques, emploi d'acier et de verre caractérisent les meubles et les objets produits à partir de 1915. L'usage de matériaux rares (laque, peau, ivoire) en fait un style luxueux

à production limitée. Dans cette catégorie, on trouve aussi bien le guéridon cubiste de Rietveld que le confortable fauteuil « vanity fair ».

LIBERTÉS ET LIBERTINAGE

Au XVIIe s. déjà, Amsterdam était connue pour l'esprit de tolérance qui y régnait. Souvent critiqués par leurs voisins européens pour leur apparent laxisme, les Hollandais revendiquent un droit véritable à la liberté d'agir et de penser. Ainsi, chacun est accepté dans sa diversité, qu'il soit étranger, homosexuel, marginal ou de petite vertu. C'est également le premier pays à avoir légalisé l'avortement, permis l'euthanasie et autorisé les drogues douces.

SQUATTER, UN PHÉNOMÈNE PASSÉ DE MODE

Au début des années 1970, il était assez facile pour un étudiant de se trouver un logement gratuit dans un somptueux hôtel de maître de l'Herengracht. L'action des *provos* contre la spéculation immobilière sera plus ou moins autorisée par la municipalité qui préférait voir ces bâtisses occupées avant rénovation. Signe des temps, la nouvelle loi sur les logements, en 1986, mit fin à cette pratique pourtant inoffensive.

LES *PROVOS*, GENTILS AGITATEURS

Non violent, écologiste et rebelle à l'ordre établi, voilà comment se définit un groupe de jeunes contestataires qui, dès 1964, se fit connaître par des actions humoristiques, les « happenings ». Ayant fait du Dam leur centre de ralliement, ils préconisent notamment l'emploi de la voiture non polluante, le droit au logement social et la liberté sexuelle. Gentiment subversifs, ils réussirent à se faire élire au conseil municipal d'Amsterdam et furent à l'origine de la politique anti-voiture actuelle.

LES *COFFEE SHOPS*

L'initiative de la culture du cannabis revient à Kees Hockert qui en 1961 a découvert une brèche dans le Code pénal : il est interdit de posséder des fleurs séchées de cannabis, mais pas de les cultiver. Si la possession de drogue douce reste un délit, l'État autorise néanmoins la vente de résine de cannabis dans les quelque 300 *coffee shops* de la ville. La dose autorisée est toutefois passée récemment de 30 à 5 g.

TERRE D'ACCUEIL POUR LES ÉTRANGERS

Un quart de la population est allogène et cent quarante-cinq nationalités cohabitent à Amsterdam. La plupart sont des Surinamais, descendants d'esclaves noirs africains « importés » sur les côtes de Guyane. Devant leur désir de s'établir définitivement aux Pays-Bas, un bureau de coordination a été organisé pour les aider à s'intégrer dans la société néerlandaise.

« Quel autre pays où l'on puisse jouir d'une liberté si entière, où l'on puisse dormir avec moins d'inquiétude ? »
René Descartes, 1631.

BUSINESS ET LIMITES DE LA PERMISSIVITÉ

Récemment, la municipalité de Delfzijl, petite ville sur la côte nord des Pays-Bas, non loin de Groningen, a fait fermer tous les *coffee shops* de la localité pour en ouvrir un nouveau, géré par un employé municipal. Un bon moyen de contrôler discrètement les consommateurs et d'arrondir ses fins de mois…

L'AMOUR EN VITRINE

Comme tous les ports, Amsterdam a ses prostituées. L'originalité consiste ici à les exposer en vitrine sans l'hypocrisie qu'on rencontre dans les pays voisins. Les bordels sont d'ailleurs officialisés et ces dames aux mœurs légères paient des impôts. Une façon finalement naturelle de reconnaître leur métier, le plus vieux du monde, et d'éviter de les voir faire du racolage sur le trottoir, pratique qui reste illégale en Hollande.

GAY-CITY

Après San Francisco, Amsterdam est la ville qui compte le plus grand nombre de bars et clubs gay. C'est le seul pays d'Europe où l'on pratique le mariage entre homosexuels et où ceux-ci ont le droit d'élever des enfants. La communauté gay a son journal, le *Gay Krant*, et possède un centre de protection de ses droits. Un jour « rose » lui est officiellement réservé dans le calendrier des fêtes.

LES FAÏENCES

Parmi les précieuses cargaisons ramenées d'Orient par les bateaux de la VOC se trouvaient les fameuses porcelaines de Chine à décor bleu. La première vente aux enchères en 1604 suscita un émoi sans pareil parmi la bourgeoisie hollandaise qui rêvait de posséder de telles pièces. Rares et donc chères, les porcelaines chinoises ne tardèrent pas être copiées dans les faïenceries de Delft dont le nombre doubla entre 1651 et 1665.

UNE TECHNIQUE VENUE D'ITALIE

Ce sont les potiers italiens établis à Anvers qui introduisirent l'usage de la faïence aux Pays-Bas au début du XVIe s. À cette époque, la tradition germanique voulait que les objets de cuisine courante fussent en étain, en bois ou en peau.
Les troubles politico-religieux les poussèrent à émigrer vers les provinces du Nord où ils fondèrent les fabriques de Delft, Makkum, La Haye et Haarlem.

LA FAÏENCE DE DELFT

La confusion est courante entre les termes porcelaine et faïence. Mais bien que la production des faïenceries de Delft et de Makkum s'oriente à partir de 1613 vers l'imitation de la porcelaine chinoise, les manufactures hollandaises n'ont jamais produit que de la faïence blanche, à décor bleu mais aussi à décor polychrome. Les pièces blanches de Delft réservées à la cuisine ne sont plus produites depuis longtemps et sont très recherchées.

PORCELAINE OU FAÏENCE ?

Dans la porcelaine cuite à haute température (1 350 °C), la terre (kaolin) et la couverte forment un amalgame très résistant ne présentant aucun défaut. À faible épaisseur, la porcelaine a la propriété d'être translucide. La faïence, à base d'argile, est quant à elle le résultat d'une double cuisson : celle de l'objet en terre ou « dégourdi » qui sera ensuite revêtu d'un émail blanc opaque à base d'étain, décoré ou non. La pièce est enfin

COMMENT RECONNAÎTRE UN VRAI DELFT ?

Attention ! toutes les céramiques bleu et blanc ne sont pas du Delft. Les vendeurs de souvenirs n'hésitent pas à inscrire au dos de céramiques produites à Taiwan « *Königliche Blau Delft* » surmonté d'une couronne royale. Le prix devrait déjà être une indication de l'authenticité de la pièce, mais, pour être certain, achetez dans des magasins spécialisés, surtout pour les Delft anciens, et vérifiez toujours la marque.

recuite à 800 °C. Moins solide que la porcelaine, la faïence peut présenter des défauts : bulles de surcuisson ou décor ayant diffusé dans l'émail. La faïence de Delft possède un deuxième revêtement (glaçure transparente) qui rehausse les couleurs.
À propos, le saviez-vous ?
Le mot « faïence » vient du nom de la ville italienne de Faenza où cette technique a été développée au XVe s.

LA FAÏENCE DE MAKKUM

Moins connue du grand public, la manufacture royale de Makkum est la plus ancienne des Pays-Bas. Fondée en 1594, elle est depuis 1674 entre les mains d'une même famille, les Tichelaar, qui se transmettent de génération en génération les secrets de fabrication des émaux qui font toute la beauté des pièces issues de leurs ateliers. Que le décor soit en camaïeu de bleu ou polychrome, il est toujours

réalisé à la main par de bons artisans et d'une plus grande finesse que le Delft.

DE PORCELEYNE FLES

Devant la concurrence des produits anglais et français, la plupart des faïenceries de Delft ont fermé leurs portes dès 1742. La seule à avoir produit des pièces sans interruption depuis sa fondation en 1653 est la manufacture « De Porceleyne Fles ». Afin d'encourager sa production déclinante, le roi Guillaume III lui décerna le titre de manufacture royale. Elle est actuellement, avec la manufacture de Makkum, la seule à produire du véritable Delft, authentifié par la marque apposée au revers de la pièce.

LA TULIPE, EMBLÈME NATIONAL

Entre Leyde et Haarlem, dès la fin avril et pour huit à neuf semaines, le polder se métamorphose en gigantesque tapis multicolore, soit huit mille hectares plantés de tulipes. Cette fleur sauvage originaire des steppes d'Asie centrale, qui vit sa première floraison en Hollande en 1594, déclencha aussitôt un engouement tel qu'on n'a eu de cesse jusqu'à nos jours d'en modifier les formes et les couleurs.

Tulipière en faïence de Delft.

LA FLEUR DES SULTANS

Au XVIe s., l'ambassadeur extraordinaire de Ferdinand Ier d'Autriche à la cour du sultan ottoman s'étonne de la passion suscitée par une fleur inconnue en Europe, la tulipe. Il en rapporte quelques oignons qui sont plantés en 1554 dans les jardins impériaux de Vienne. Le nom qu'on lui donna, *Tulp,* est né d'une méprise du diplomate, puisque « dülbend » signifie turban en persan tandis que la précieuse fleur s'appelait « lale ».

LA TULIPE APPRIVOISÉE

Un botaniste d'origine française, Charles de Lécluse, s'intéressa à sa morphologie et découvrit ses fabuleuses capacités d'hybridation. Il obtint la première floraison de la *Tulipa gesneriana* au jardin botanique de Leyde en 1594. En divulguant ses recherches, il était loin de se douter qu'il allait déclencher une véritable folie qui s'empara de la Hollande entière.

LA TULIPE DANS L'ART

Aussi précieuse qu'un plat en argent ou un verre en cristal, la tulipe est désormais une composante des natures mortes. Le peintre flamand Jan Breughel de Velours (1568-1625) est le premier à l'avoir représentée dans toute son éphémère splendeur. Les faïenciers de Delft lui dédient un vase particulier, la tulipière, destinée à mettre sa beauté en valeur.

TULIPOMANIA

L'énorme succès remporté par la tulipe comme curiosité éveille la convoitise des spéculateurs. Chacun se livre alors à des expérimentations destinées à obtenir l'exemplaire rare, par sa forme ou sa couleur. En 1634, la tulipe est même cotée en Bourse et a ses propres notaires pour s'occuper des transactions. La fièvre dure trois ans, au cours desquels la tulipe atteint des sommes astronomiques. Le *Semper augustus* se négocie entre 1 815 et 2 495 € ! Un krach boursier met fin à la spéculation, mais la tulipe reste un luxe pendant longtemps encore.

LA BULBICULTURE

La nature d'un sol sablonneux riche en calcaire favorable à la culture de la tulipe explique l'essor extraordinaire qu'a pris la bulbiculture dans la région de Haarlem, au point de devenir l'une des principales exportations. Peu après la floraison, les fleurs sont coupées de manière à conserver dans le bulbe les réserves nutritives. Récoltés trois mois après l'écimage, ceux-ci sont destinés au forçage (production de fleurs en serre), ou stockés à température variable pour être plantés dans les jardins.

TULIPE, MODE D'EMPLOI

La période pour planter les oignons de tulipes s'étend de septembre à début décembre. Il faut planter les bulbes

LES « CULTIVARS »

À partir d'une centaine d'espèces sauvages, originaires d'Asie centrale, les horticulteurs ont obtenu quelque 900 variétés ou « cultivars » de tulipes, botaniques ou hybrides. Elles se répartissent en trois catégories selon leur moment de floraison : les hâtives, les mi-hâtives et les tardives.

à 10 cm de profondeur, quelle que soit la nature du sol, et les espacer de deux fois leur hauteur. Selon la variété et la taille, il y a une floraison soit en mars-avril (pour les variétés hâtives), soit en mai (pour les variétés tardives). Sauf en cas de gel, il faut maintenir la motte humide autour du bulbe.

TABACOMANIE

Au XVIe s. l'Europe est atteinte d'une nouvelle lubie, celle de priser ou fumer les feuilles d'une plante découverte par Christophe Colomb chez les Indiens d'Amérique. Produit de luxe, précieux et rare, il ne pouvait qu'intéresser les spéculateurs hollandais qui sont à l'origine de l'acclimatation de la plante dans leurs colonies asiatiques.

L'HERBE DES INDIENS FUMÉE À LA COUR D'ANGLETERRE

Cultivé intensivement à Haïti par les Espagnols, le tabac est d'abord apprécié pour ses vertus médicinales. On le prise pour apaiser les maux de tête, on l'ingère sous forme de décoction pour soigner les ulcères. Consommer le tabac en le fumant est une nouveauté introduite à la cour de la reine Élisabeth Ire par sir Walter Raleigh, grand fumeur de pipe.

NICOTIANA TABACUM

Si l'usage du tabac fut introduit en Hollande par les soldats anglais, il revient aux marchands de la VOC d'avoir acclimaté la plante américaine en Asie et en Afrique du Sud. Au XVIIIe s., le tabac, considéré comme un luxe, faisait partie des rations du personnel navigant de la VOC, privilège des marins et des officiers.

LES CÉLÈBRES PIPES DE GOUDA

La vogue du tabac entraîne la naissance d'une nouvelle industrie, celle de la fabrication de pipes en terre cuite. Les premières manufactures apparaissent vers 1610 en Hollande, les pipiers de Gouda étant les plus réputés. Chaque manufacture appose sa marque sur le talon de la pipe. Vingt-cinq marques différentes ont été répertoriées sur les pipes en porcelaine de Gouda.

LE GOÛT DU TABAC

Bien qu'il existe un grand nombre de variétés de tabac, différentes par le goût, l'arôme et la combustibilité, celui-ci ne prend véritablement corps qu'après deux ultimes opérations, le « sauçage » et le *flavoring*. La première consiste à aromatiser les feuilles avec un mélange de glycérine, réglisse et sucre, la seconde à les parfumer avec des essences variées comme le rhum ou l'orange.

UNE PIPE MYSTÉRIEUSE

Un nouveau modèle de pipe fait fureur entre 1900 et 1940. On l'appelle la pipe-mystère ou *door-roker*. Invisible à l'œil nu, une image apparaît sous la glaçure après avoir fumé la pipe. Le secret consiste à appliquer au tampon sur une terre très poreuse, avant la cuisson de la glaçure, un motif qui sera coloré par la nicotine.

SMOKING ET *NO SMOKING*

À la différence de nombreux pays anglo-saxons, les Pays-Bas n'ont pas adopté la politique répressive qui vise à restreindre la consommation de tabac et de cigarettes. Dans la plupart des restaurants et a fortiori des cafés, il n'y pas de zone fumeurs ou non-fumeurs.

Adrian Brouwer :
Intérieur de tabagie.

Pipes en écume de mer, en bois, en terre cuite ou en porcelaine, pipes ethnographiques des cinq continents, tabatières, boîtes à cigares, à bétel et à opium, narguilés, pipes à opium… c'est le paradis des collectionneurs tabagistes chez Smokiana. **Prinsengracht, 488 ; ouv. mer.-sam. 12h-18h (ou sur r.-v. lun. et mar.) ☎ 421 17 79.**

Certains bistrots peuvent même paraître franchement irrespirables au premier abord. Le tabac et son odeur font pourtant partie du décor.

Dès le XVIIe s., les peintres hollandais de scènes de genre avaient même créé en peinture un genre spécial : l'intérieur de tabagie, dont Adrian Brouwer fut le meilleur représentant. Dans ces cabarets enfumés, quand ils ne sont pas

assommés par l'alcool, les consommateurs excités se livrent à toutes les débauches. Les *coffee shops* d'aujourd'hui, où l'on fume souvent autre chose que du tabac, ne font que perpétuer cette ancienne tradition de tolérance et de permissivité dans un local particulier.

AMSTERDAM, LA VILLE DES CIGARES

Premier marché mondial pour la vente des feuilles de cape (enveloppe des cigares) provenant d'Indonésie, Amsterdam est réputée pour ses manufactures de cigares dont la subtilité de l'arôme est obtenue par le mélange de 15 à 20 sortes de tabac (Java, Sumatra, La Havane, Brésil…)

LE DEUXIÈME PAYS DU FROMAGE

Pour beaucoup, Gouda est synonyme de fromage hollandais. Pourtant ce n'est pas l'unique production du plat pays, premier exportateur mondial de fromage, qui s'est spécialisé dès le Moyen Âge dans la fabrication des pâtes pressées non cuites. Le secret de leur saveur réside dans leur aptitude au vieillissement, mais aussi dans l'ajout d'épices rapportées des Moluques. Le fromage hollandais se conserve et se goûte comme un grand cru, du jeune fromage fruité et moelleux au vieux, sec et piquant.

LES ÉTAPES DE FABRICATION

Hormis la petite production de fromage de chèvre (*geitenkaas*), c'est le lait de vache qui est utilisé comme matière première. Les vaches hollandaises sont d'ailleurs parmi les meilleures laitières du monde. Chaque tête peut produire jusqu'à 6 136 litres de lait par an. Le caillage est obtenu par l'addition de

ferment lactique et de présure. On procède ensuite à l'égouttage par brassage, afin de séparer le petit-lait de la caillebotte qui est moulée. Après le pressurage, le fromage passe plusieurs jours dans un bain de saumure. L'arôme et la texture du fromage qui sèche en vieillissant dépendront de la durée d'affinage.

LES FROMAGES DU SUD...

Profitez de votre séjour à Amsterdam pour goûter aux fromages fermiers réputés pour leurs arômes complexes qui s'amplifient avec le temps. Le gouda, large meule plate, se mange *jong* (3 à 6 mois), *pittig* (1 an et demi), *oud* (2 ans) ou *heel oud* (2 ans et demi ou plus). Plus il vieillit, plus le goût se corse, atteignant à sa maturité une saveur proche du parmesan. L'amsterdamer, toujours consommé jeune, est sa version miniature.

... ET CEUX DU NORD

L'édam, petite boule caractéristique dont la croûte jaune foncé est recouverte

d'une enveloppe de cire rouge pour l'exportation, possède une saveur plus sèche que le gouda. Il se déguste à différents stades : *jong*, *belegen* (une petite année), *oud* (2 ans).
La mimolette, l'autre fromage septentrional largement répandu à l'étranger, doit son nom à sa consistance mi-molle qu'elle ne conserve pas en vieillissant.

LE GOUDA NOUVEAU EST ARRIVÉ !

Préparé à partir d'un lait au parfum d'herbes nouvelles, le gouda a aussi ses saisons. Ce gouda de mai *(meikaas)* moelleux et fin ne se trouve que pendant six semaines, de mi-juin à fin juillet. On fête son arrivée tout comme celle du hareng.

Le *leidse kaas* parfumé aux graines de cumin se différencie du gouda par un côté aigu dans la meule à la croûte orangée. Le pays Frison produit également un fromage aromatisé aux clous de girofle, le *friese nagel kaas*.

LE FROMAGE AU MARCHÉ

Le plus grand marché de fromages se tient à Alkmaar dans le nord de la Hollande, le vendredi matin, de mai à octobre. Plus proche d'Amsterdam (30 km), le marché très pittoresque

d'Edam a lieu en juillet et août chaque mercredi de 10h à 12h30. On assiste à la pesée des fromages, contrôlée par un maître en chapeau melon.

LES DIAMANTS SONT ÉTERNELS...

C'est en 1475 qu'un Anversois réalisa la première taille à facettes d'un diamant. En effet, le plus dur des matériaux n'acquiert toute sa splendeur qu'après une taille appropriée qui tire le meilleur profit des lois de réfraction et de réflexion. Des tailleries d'Amsterdam, nées à la fin du XVIe s., sont sortis des diamants célèbres comme le *Cullinan* et le *Koh-i-Noor*. Le savoir-faire inégalable des tailleurs amstellodamiens en a fait la capitale mondiale du diamant.

LES QUATRE « C »

La majorité des diamants traités à Amsterdam provient d'Afrique du Sud. Ils sont achetés à Londres lors des « Sight » qui se tiennent dix fois par an. La valeur d'un diamant est évaluée en fonction de quatre critères ou quatre « c » : la taille *(cut)*, la couleur *(color)*, la pureté *(clarity)* et le poids *(carat)*.

DE LA PYRAMIDE AU BRILLANT

à l'état brut, un diamant (c'est-à-dire du carbone cristallisé sous l'effet conjugué de fortes pressions et de hautes températures) se présente sous la forme d'un octaèdre. Scié en deux, il prend une forme pyramidale, façon dont il était monté en joaillerie avant qu'on ait inventé la première taille en rose. Les différentes tailles dépendent de la forme initiale du cristal : rectangulaire, en émeraude et en baguette ou oblongue, en marquise et en poire.

AMSTERDAM
DIAMANTSTAD

INTERNATIONALE DIAMANT TENTOONSTELLING 21 JUNI tm 10 JULI 1957

constitué d'une « table » entourée de 32 facettes supérieures, inclinées à 35°, qui rencontrent à la ceinture les 24 facettes inférieures, inclinées à 41°. Au total, 57 facettes portent au maximum les scintillements colorés ou « feux » du diamant.

LES FEUX DU DIAMANT

La taille la plus courante mais aussi la plus coûteuse est le « brillant ». Ce rond est

SUBTILITÉ DE LA COULEUR

Un diamant qui présente des colorations jaunes est fortement déprécié.
En revanche, les teintes homogènes roses, bleues, vertes ou noires, causées par la présence d'un autre minerai au moment de la cristallisation, en augmentent la valeur.

LA PURETÉ ET L'ÉCLAT

Un diamant de qualité doit être parfaitement pur.

La présence d'inclusions et de particularités de cristallisation trop visibles (glaces, crapauds, givres, etc.) lui ôte beaucoup de sa valeur. Une échelle d'imperfections visibles à l'œil nu (à l'aide d'une loupe grossissante) classe les diamants en sept catégories, depuis la pierre la plus pure *(Flawless)* à celle qui présente le plus d'imperfections *(Piqué III)*.

COMPTER EN CARATS

L'unité de poids de cette précieuse gemme est le carat métrique qui équivaut à 200 milligrammes (5 carats = 1 gramme) ou 100 points. Un brillant de 0,01 carat comporte autant de facettes que celui de 22 carats !

DES PRIX COMPÉTITIFS

Acheter un diamant dans une taillerie offre l'avantage, outre un choix étendu de tailles et de qualités, d'être 30 % meilleur marché qu'en France. Les prix

fluctuent de 2 800 à 20 000 € le carat selon la qualité de la gemme. Ainsi, pour un nombre équivalent de carats, un diamant taillé en émeraude coûte moins cher qu'un brillant car il y a moins de déperdition de matière. La coloration jaunâtre et la présence de petites inclusions sont également des facteurs qui rendent le prix d'un diamant plus abordable.

LES DIFFÉRENTS TYPES DE DIAMANTS

PRINCESSE CARRÉE	
BRILLANT	
MARQUISE	
POIRE	
CŒUR	
PRINCESSE	
OVAL	
ÉMERAUDE	
CARRÉ	
BAGUETTE	

L'ART DE VIVRE À AMSTERDAM

Afin de pallier le manque de logements dans une ville qui a conservé presque intacte sa structure organique datant du Siècle d'or, les Amstellodamiens ont dû faire appel à leur imagination et à leur sens pratique. Pionniers de l'aménagement de nouveaux espaces, ils ont inventé le loft et le *house-boat*. La réhabilitation des *hofjes*, anciens hospices, est un autre exemple de création de logements originaux.

L'ESPRIT LOFT

Où trouver 300 m² à prix abordable au centre d'Amsterdam dans les années 1970 ? Sur le Prinseneiland et le Prinsengracht, nombre de manufactures abandonnées, d'entrepôts désaffectés voire quelques églises désacralisées offraient aux architectes un vaste choix de volumes nus à aménager en toute liberté, pourvu qu'on conserve la façade. Vivre sans murs en abolissant les rigoureuses séparations de fonction vitale devenait un nouveau pari pour ceux qui ont réinventé un art de vivre non conformiste.

HOUSE-BOAT : VIVRE SUR L'EAU

Anciennes péniches du Rhin, radeaux supportant des chalets coquets ou barges menaçant de sombrer dans l'heure, les maisons flottantes firent leur apparition sur les canaux d'Amsterdam dans les années 1950, en réponse à la pénurie de logement. Auparavant habitées par des marginaux, elles sont aujourd'hui le rêve de jeunes qui disposent de moyens limités, puisque le coût d'un appontement n'est que de 226,90 € par an.

UNE FLOTTILLE LIMITÉE

Cette forme de logement proche du squat sera légalisée en 1973 afin de limiter le nombre d'appontements, ceux-ci ayant une fâcheuse tendance à proliférer. On recense aujourd'hui une flottille de 2 400 *house-boats*, dont 1 000 seulement sont autorisés tandis que les autres ne sont pas interdits ! Ils sont regroupés sur le Prinsengracht, le Brouwersgracht et l'Amstel.

Bien entendu, chaque *house-boat* dispose d'un raccordement aux réseaux du téléphone, de l'électricité et de l'eau courante.

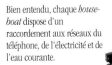

HOFJES

Çà et là dans le Jordaan, un blason annonce discrètement l'accès, via un passage étroit, à un *hofje*. Ces anciens

hospices, destinés autrefois à loger des personnes âgées nécessiteuses, regroupent autour d'une courette ou d'un jardin de minuscules maisons. Ces *hofjes* ont leurs adeptes qui, au prix

UNE OU DEUX CHOSES À SAVOIR...

Piétons, attention ! Le vélo est roi à Amsterdam, à tel point que l'on n'ose plus se risquer sur un trottoir sans se demander si c'est une piste cyclable ! Auquel cas, un coup de sonnette intempestif vous le fera savoir. Quant à la ponctualité, elle est de mise. Pas question d'arriver avec le quart d'heure de retard réglementaire aux rendez-vous. Ardeur au travail et simplicité sont des vertus calvinistes. Mais quand sonne la fermeture des bureaux vers 16h30, le Hollandais prend le temps de vivre. Le dîner expédié, entre 18h et 18h30, on fait du vélo en famille, on rend visite aux amis, on s'attarde dans son café préféré.

de quelques transformations, ont aménagé au cœur de la ville de véritables îlots de tranquillité.

COSY-CORNER

Quoi de suprenant dans un pays où il vente et pleut la majeure partie de l'année ! La maison est un refuge douillet, un endroit qu'on enjolive sans cesse, qu'on fleurit toute

l'année. Les Amstellodamiens ont le sens du confort et leurs maisons fraîches et pimpantes sont souvent d'une propreté impeccable, avec ce petit rien qui atteste un sens particulier du décor. Qu'un rayon de soleil surgisse et on voit tables et chaises envahir le trottoir. Cette manière de vivre si particulière porte un nom : *gezelligheid* qui veut dire à la fois intime, confortable et d'humeur sociable.

CAFÉS BRUNS, CAFÉS BLANCS

Les cafés sont depuis toujours une sorte de second foyer pour les Hollandais qui reçoivent très peu chez eux. Murs patinés par la nicotine, lambris sombres, cuivres étincelants des tireuses à bière et sciure sur le plancher constituent le décor des traditionnels cafés bruns ou *bruine kroegen*. À ceux-ci s'opposent la luminosité et l'espace des grands cafés, le plus souvent conçus dans un esprit résolument contemporain et fréquentés par une clientèle plus jeune.

KRANTCAFÉ

Lire le journal en prenant un café pendant des heures est le passe-temps favori des Amstellodamiens. Il serait donc inconcevable de ne pas trouver dans son café préféré un vaste choix de quotidiens *(krant)* mis à disposition des clients.

Certains grands cafés comme le très branché De Jaren ou l'American Café au décor plus cosy ont même prévu une large table de lecture bien éclairée.

UNE JOURNÉE AU CAFÉ

Après le départ des employés de bureau venus prendre le déjeuner sur le pouce, l'après-midi s'étire tranquillement parmi les joueurs de cartes et d'échecs. À l'heure de l'apéro, c'est-à-dire vers 17 h, apparaissent quelques complets veston avec attaché-case, tandis que les *eetcafés* qui proposent un plat du jour copieux et bon marché *(dagschotel)* se remplissent de jeunes gens qui mangent autour de la même table.

CONVIVIALITÉ ET BONNE HUMEUR

Plutôt calmes la journée, les cafés bruns s'animent le soir, en particulier les vendredis et samedis. Habitués et clients occasionnels s'y retrouvent pour bavarder sans se soucier des catégories sociales. On y boit de la bière ou des alcools forts, on y chante, on y commente les matchs de football, on refait le monde avec des amis inconnus une heure plus tôt.

JARGON DE COMPTOIR

Lorsque vous commandez une bière, on vous servira le plus

souvent une bière blonde pression brassée à Amsterdam, Heineken ou Amstel. Demandez une *pils* de 20 ou 25 cl ou pour les grandes soifs, un *vaas* de 50 cl. Dans les deux cas, elle doit être servie avec un faux col d'une épaisseur de deux doigts. Les Hollandais de souche boivent rarement une bière sans l'accompagner d'un petit verre de genièvre *(jenever)*. Cette pratique curieuse porte le nom de *kopstoot* ou coup sur la tête, en raison sans doute des migraines qui s'ensuivent…

LE *PROEFLOKAAL*

Le genièvre, un alcool fort distillé à partir de moût de céréales et de baies de genévriers a ses temples : les *proeflokalen* ou maisons de dégustation. Dans un environnement de tonneaux alignés sur le comptoir, il faut le déguster debout en trempant ses lèvres dans un petit verre rempli à ras bord et en l'aspirant d'un seul coup sans en perdre une goutte. Jeune *(jong)* ou adouci par l'âge *(oud)*, on le sert souvent avec des harengs salés.

NATURE OU DÉCA ?

Une tasse d'arabica contient de 50 à 100 mg de caféine, une tasse de robusta contient, quant à elle, de 120 à 150 mg de caféine, tandis qu'une tasse de décaféiné n'en contient

que 1 à 2 mg. Le café pris en grande quantité (c'est-à-dire plus de neuf tasses par jour) augmente le taux de cholestérol de 8 à 10 %, mais il peut aussi faire maigrir en jouant le rôle d'un excitant et d'un coupe-faim. Par ailleurs, une dose de 100 mg de caféine, en stimulant le métabolisme, augmente les dépenses énergétiques et caloriques de 16 % en deux heures.

LA CUISINE HOLLANDAISE

Il serait quelque peu exagéré de parler de gastronomie à propos de la cuisine hollandaise. Très curieusement, ces grands voyageurs ont, à l'instar des Anglais, délibérément ignoré l'art d'accommoder les épices dont ils faisaient grand commerce.

Ils apprécient toutefois la cuisine indonésienne dont les différentes saveurs se conjuguent autour d'un *rijsttafel* ou « table de riz ».

SAVEURS ET PARFUMS D'ORIENT

En 1594 les Hollandais fondent à Amsterdam la première compagnie des Indes orientales. De leurs voyages ils rapportent quantités d'épices : poivre, noix de muscade, clous de girofle, safran, piments… et le goût pour la cuisine indonésienne qu'ils accomodent à la sauce hollandaise.

LE *RIJSTTAFEL*

Le *rijsttafel* est un résumé pantagruélique des saveurs indonésiennes. Il se compose en général de riz accompagné de huit préparations différentes (mais cela peut aller jusqu'à cinquante) : beignets de crevettes, brochettes de poulet ou encore boulettes de viande accompagnées de légumes cuits à la vapeur. Ce plat fait désormais tellement partie du patrimoine hollandais que la faïencerie de Delft a créé un service de vaisselle spécialement pour le *rijsttafel* : il s'agit de neuf plats qui s'emboîtent les uns dans les autres autour d'une pièce centrale étoilée.

CUISINE TRADITIONNELLE

Pour goûter à la simple et nourrissante cuisine hollandaise, il faut aller dans les restaurants qui affichent

le logo *Neerlands Dis*. Là, vous pouvez être certain d'être rassasié. La soupe aux pois cassés parfumés au lard est si épaisse que la cuillère peut tenir droite dans le plat ! Toujours parmi les entrées, n'hésitez pas à tester les croquettes de viande d'où s'échappe de la fumée dès que vous percez la croûte de chapelure.

LE *HUTSPOT*

Ce plat traditionnel constitué d'un ragoût de viande accompagné de légumes de saison commémore la levée du siège de Leyde par les Espagnols en 1574. Alors que l'ennemi venait d'abandonner ses positions, un jeune garçon aurait trouvé une marmite de pot-au-feu. Si les ingrédients n'étaient pas tout à fait les mêmes qu'à l'origine, car la pomme de terre n'était pas encore sur toutes les tables d'Europe, ce plat reste traditionnel et les habitants de Leyde le dégustent toujours le 3 octobre.

HARENG, MODE D'EMPLOI

Comment manger le *nieuwe haring* à la mode hollandaise ? Tenir le hareng par la queue au-dessus de la tête renversée et l'avaler en plusieurs bouchées ! Attention, le hareng nouveau doit sentir la marée et être exempt de tache rouge sombre sur le dos. On le déguste avec un petit genièvre glacé. Bon appétit !

LES PRODUITS DE LA MER

Le 25 mai s'ouvre la pêche aux harengs. Les Hollandais, qui en raffolent, le consomment cru et assaisonné aux grains de poivre *(nieuwe haring)*. Les nombreuses *haringkar* (charrettes à harengs) stationnées le long des canaux servent tout au long de l'année le *maatsjesharing* ou hareng mariné, avec des oignons. Qu'elle soit « au vert » ou fumée, l'anguille *(paling)* pêchée dans l'Ijsselmeer a aussi ses amateurs.

LA PAUSE-CAFÉ

Si les Hollandais consacrent peu de temps aux repas, la pause-café est sacrée. On boit ainsi tout au long de la journée des *kopjes koffie* qui s'agrémentent d'une petite douceur comme des chocolats ou de délicieuses pastilles Droste, biscuits au gingembre *(speculaas)* ou au beurre. Les gourmands craqueront devant l'incomparable tarte aux fruits ou *Limburgse vlaai* qui existe dans plus de vingt versions.

AMSTERDAM EN FÊTE

La *Sinterklaas* (la Saint-Nicolas) et le *Koninginnedag* (le « jour de la reine ») sont deux journées qui marquent toute la Hollande et plus particulièrement Amsterdam. La première, qui se fête le 5 décembre et non le 6 comme dans les autres pays catholiques, offre l'occasion de se réjouir en famille ou entre amis. La seconde, qui se célèbre le 30 avril, se manifeste à Amsterdam par un impressionnant programme de festivités attirant de tous les Pays-Bas plus de 500 000 personnes chaque année !

LE SAINT PATRON D'AMSTERDAM

Saint Nicolas a réellement existé. Né en 271 et mort en 342 ou 343, il fut évêque de Myra (Turquie) et connu pour ses miracles. Il calmait les flots, sauvait les navires en perdition, délivrait les enfants du couteau du boucher et déposait des dots dans les souliers des jeunes filles pauvres. Saint patron des marins, des marchands et des enfants, il fut tout naturel de placer sous sa protection le port d'Amsterdam.

IL ÉTAIT UNE FOIS... SAINT NICOLAS

Aujourd'hui, saint Nicolas est le bienfaiteur des enfants. Tous savent qu'il vit en Espagne où il inscrit dans un grand livre rouge tous leurs faits et gestes tandis que Zwarte Piet, son fidèle serviteur maure, rassemble des cadeaux pour la fin de l'année. Saint Nicolas avec sa grande barbe blanche et son habit

rouge est monté sur un cheval blanc et Zwarte Piet porte sur son dos un gros sac plein de jouets.

LA FÊTE DES PETITS ET DES GRANDS

Les enfants deviennent sages car saint Nicolas peut les entendre par la cheminée. Chaque soir en espérant sa venue, ils mettent dans leurs souliers des carottes et du foin pour le cheval, et, le jour J, Zwarte Piet les remplace par un petit cadeau ou une sucrerie. Les adultes s'amusent tout autant car toutes les bonnes plaisanteries sont autorisées ! Cela se passe en famille, entre amis ou au bureau, chacun offre un petit cadeau qui doit être emballé de façon originale et accompagné d'un poème ou d'une devinette. La personne qui reçoit, lit alors à voix haute le poème et doit deviner ce que contient le paquet.

LES GÂTEAUX DE SAINT NICOLAS

Quatre gâteaux ont la faveur durant cette période, le *borstplaat* ou fondant, les *speculaas*, et les *letterbanket* et *kerstkrans*. Le premier, tout plat, est une sorte de caramel au beurre ou à la crème. À cette époque, les *speculaas* se transforment en saint Nicolas. Tout de pâte feuilletée et de pâte d'amande, les *letterbanket* reprennent les initiales des

convives, les *kerstkrans* sont des couronnes ornées de fruits glacés, destinées à décorer la table puis à être dégustées bien sûr.

LE *KONINGINNEDAG*

Le *Koninginnedag*, ou jour de la reine, a été institué le 31 août 1898 à l'occasion du 18e anniversaire de la reine Wilhelmine. Quand Juliana succède à sa mère, elle proclame que la « journée de la reine » sera célébrée le jour de son anniversaire le 30 avril. Sa fille Béatrix, actuellement sur le trône, a décidé de garder le 30 avril même si elle est née le 31 janvier. Le 30 avril, toutes les villes des Pays-Bas se teintent alors en orange, couleur de la famille royale.

MUSIQUE ET BRADERIE

Le 29 avril au soir, le centre d'Amsterdam est réservé à la fête. On danse et chante, l'on écoute de la musique avec bien sûr une petite bière à la main. Des comédiens jouent leurs pièces et les acrobates exécutent leurs numéros. Dans une ambiance vaudeville, des roues où l'on peut dîner à plusieurs par nacelle sont montées dans le Dam ou la Museumplein. Le lendemain tout est démonté et chacun nettoie devant sa porte et réserve son espace pour la grande braderie. Tout le monde peut vendre ce qu'il veut et le cœur d'Amsterdam se transforme en un immense vide-greniers.

LE VONDELPARK

Ce jour-là le Vondelpark est réservé aux enfants, et les parents qui les accompagnent sont priés de participer aux jeux. Ces chers bambins, pour gagner 0,45 €, inventent des épreuves, des jeux, des pêches à la ligne, font des parcours avec un vélo au guidon inversé…

BOUCHONS SUR LES CANAUX !

Nombreux sont ceux qui prennent leur petite barque à moteur et, avec une bonne cargaison de bière, vont écouter un concert ou se rassemblent pour chanter, pour discuter et s'amuser entre amis. Ils sont si nombreux qu'il devient difficile de naviguer et que certains canaux sont complètement embouteillés… mais dans une ambiance joyeuse et bon enfant !

Amsterdam mode d'emploi

SE DÉPLACER

Étant donné la faible superficie de la ville et la difficulté d'y circuler en voiture (et surtout de trouver une place de parking), il est préférable de découvrir la ville à pied en suivant le tracé des canaux. Les quartiers sont, à l'exception du Plantage et du Pijp, juxtaposés à l'intérieur d'une ceinture de canaux délimitée par le Singelgracht. Il faut compter deux jours pour visiter les hauts lieux d'Amsterdam, en prenant de temps à autre le tram ou le bateau pour aller d'un quartier à l'autre. S'il fait beau, le moyen le plus agréable pour se déplacer rapidement reste le vélo, que vous pourrez louer pour une somme modique. Vous vivrez ainsi complètement à l'heure amstellodamienne.

EN MÉTRO, TRAM ET BUS

Ils circulent de 6h à 0h30. Les bus de nuit prennent la relève de 0h30 à 7h30. Le réseau de transports en commun est étendu, pratique, rapide et bon marché : quatre lignes de métro, dix-sept lignes de tram, quatre liaisons par bac, sept lignes de bus – dont la nouvelle ligne « De Opstapper », qui dessert tout le Prinsengracht avec arrêt sur demande – et huit lignes de bus de nuit. La majorité des trams qui partent de la gare centrale passent par le Dam et la Muntplein. Pour les autres stations, consultez le plan ou demandez au conducteur qui vous informera en anglais.

Le métro vous sera peu utile, sauf si vous vous rendez dans la zone est de la ville. Enfin, sachez que si vous avez loué un vélo, rien ne vous empêche de le prendre dans le métro avec vous. Les tickets à l'unité (1,60 €) sont en vente dans le métro et auprès des conducteurs de bus et de tram. Il est toutefois plus avantageux d'acheter à l'avance une carte pour 24h (5,20 €) ou pour une semaine (9,30 €), ou encore une *Strippenkaart* de 8 (6,40 €), 15 ou 45 cases (18,30 €) que vous ferez composter par le conducteur ou par la machine (1 trajet = 2 cases). Le compostage donne droit à d'autres correspondances pendant une heure. Ces cartes sont en vente dans le kiosque de la GVB en face de la gare centrale, chez les marchands de journaux ou dans les billetteries automatiques de la gare, du métro, de la Leidseplein ou du tram 5. Pour monter ou descendre du tram et du métro il faut appuyer sur le bouton *deur open*.

AMSTERDAM PASS

Cette carte à puce valable 1, 2 ou 3 jours (26, 36 et 46 €) donne libre accès aux transports publics, à une excursion en bateau-mouche et à 23 musées. Elle offre aussi des réductions de 25 % dans certains restaurants et attractions. Les amateurs de musée apprécieront (les entrées de musées varient de 4 à 9 €). La carte est en vente dans les bureaux de l'office de tourisme VV, dans les kiosques GVB et dans certains hôtels).

À VÉLO

Les avantages de la bicyclette sont multiples : pas de problème de stationnement, pas de côtes, priorité absolue sur les voitures et les piétons (qui se font vertement rabrouer dès qu'ils osent mettre un orteil sur les sacro-saintes pistes cyclables), pas de problème d'horaires. Le seul inconvénient pourrait être de se la faire voler, ce qui est assez fréquent. Mieux vaut donc, en louant un vélo, s'assurer qu'il est muni d'un antivol digne de ce nom. Les tarifs sont dégressifs selon le nombre de jours de location. Attention ! la plupart des vélos n'ont qu'une seule vitesse et un système de freinage par rétropédalage, ce qui est déroutant au début. Les agences de location sont ouvertes 7j/7 de 9h à 18h.

Pour louer un vélo, on vous demandera une carte d'identité et une caution de 50 à 100 € ou une empreinte de votre carte bancaire.

Mac Bike
www.macbike.nl
Stationplein, 33 (gare centrale)
☎ 626 38 45.
Weteringschans, 2
☎ 528 76 88.
Mr. Visserplein, 2
☎ 620 09 85.
Les meilleurs prix et un vaste choix de vélos pour adultes et enfants. Si vous êtes nombreux (réduction pour les groupes), allez au dépôt de Visserplein.

Bike city
Bloemgracht, 68-70
☎ 626 37 21.
www.bikecity.nl
On vous procure des suggestions d'itinéraires et deux antivols.

Yellow Bike
Nieuwe Zijds Kolk, 29
☎ 620 69 40
www.yellowbike.nl
Le spécialiste des circuits-découverte à vélo conduits par un guide anglophone parlant parfois le français. (départs avr.-nov. : lun.-ven. 9h30 et 13h, sam. 9h30 et 14h ; réservation préférable).

Frederic Rent a bike
Brouwersgracht, 78
☎ 624 55 09
www.frederic.nl
Un accueil en français et un prix rond tout compris pour des vélos classiques.

EN PÉDALO

Le *canal-bike* ou pédalo à deux ou quatre places se loue aux embarcadères suivants : près de Leidseplein, entre le Rijksmuseum et la brasserie Heineken, en face de la Westerkerk et sur le Keizersgracht/Leidsestraat. La caution est de 50 € et il faut compter 8 € par heure pour deux personnes, (4 personnes, 7 €). Une brochure avec le plan des canaux et sept propositions d'itinéraires est en vente pour 1 €. Le pédalo peut être remis à l'embarcadère de votre choix. Ouv. juin-fin août. 10h-21h et sept.-fin mai 10h-18h30.

Canal Bike
Weteringschans, 26
☎ 626 55 74.

EN BATEAU

Le *canalbus* est un moyen de transport amusant et très agréable en été. Au départ de la gare centrale, trois lignes assurent la liaison entre les principaux centres d'intérêt (musées et rues commerçantes) en suivant les plus beaux canaux.
Les lignes rouge (cinq arrêts dans le sens est) et verte (six arrêts dans le sens ouest)

EN TAXI

Ils sont peu nombreux et chers. Les Amstellodamiens les utilisent donc plus souvent pour des trajets de nuit. Les stations se trouvent aux abords de la gare centrale, Leidseplein, Rembrandtplein, Nieuwmarkt, Waterlooplein, Dam et Spui.
Le numéro d'appel central est le ☎ 677 77 77.
Si le taxi classique est peu pratique dans le centre, le *watertaxi* en revanche vous conduira rapidement vers votre hôtel. Plusieurs d'entre eux ont d'ailleurs des pontons prévus à cet effet. Ces « taxis d'eau » sont équipés d'un compteur standard (env. 0,9 € la minute) et d'un radio-téléphone. Les embarcations les plus luxueuses peuvent transporter jusqu'à 8 personnes. ☎ 530 10 90.

circulent entre la gare et le Rijksmuseum ; le trajet dure 85 min. La ligne bleue dessert le port, les musées Nemo et de la Marine, le zoo Artis, le Tropenmuseum, le Stopera et la maison de Rembrandt (trajet d'1h).

Les navettes partent toutes les 30 min (ligne rouge) ou les 40 min (lignes verte et bleue) de 10h à 18h (jusqu'à 21h en juil. et août).

Le prix forfaitaire pour la journée est de 15 € (10,50 € pour les enfants de moins de 13 ans) sur l'ensemble du réseau, vous permettant de descendre et de monter quand vous le désirez. Les billets, valables jusqu'au lendemain midi, sont en vente dans les kiosques canalbus suivants : gare centrale, Maison d'Anne Frank, Leidseplein et Rijksmuseum. Des réductions vous sont accordées sur les entrées de musées, les transports et dans certains magasins et restaurants. Des croisières aux chandelles d'une heure et demie avec concert de jazz et dégustation de vin et de gouda ont lieu chaque samedi soir d'avr. à nov. (19 €). Départ à 20h et à 22h en face du Rijksmuseum (réservation ☎ 623 98 86 ou à votre hôtel).

Le service offert par le bateau-musée *(museumboot)* permet d'effectuer un tour complet de la ville en partant de la gare centrale et en passant sur les plus beaux canaux. Les croisières commentées par un guide partent toutes les 30 min (45 min en hiver) de 9h30 à 17h et effectuent six arrêts pour vous permettre de visiter les musées ou de faire du shopping. Le billet forfaitaire pour la journée (14,25 €) ou la demi-journée (10,20 €) est en vente aux guichets du VVV ou au kiosque *Rederij Lovers* en face de la gare centrale (☎ 530 10 90 ; www.lovers.nl). Il vous donne droit à des réductions de 10 à 50 % sur le billet d'entrée du musée.

Si l'excursion d'une heure en bateau-mouche vous tente de jour ou de nuit, plusieurs agences proposent des départs toutes les 15 min de 9h à 18h et toutes les 45 min de 18h à 22h. Départ à la gare centrale ou au Rokin.

Last but not least, la location d'un élégant salon-bateau en bois, datant de 1920, est le must absolu pour faire une balade superchic sur les canaux. Le capitaine sera aux petits

soins, vous aurez accès au bar et vous pourrez même commander un buffet si vous le désirez. Ce somptueux bateau-salon accueille 12 personnes au maximum. (*Salonboot «Paradis»* ☎ 684 93 38.)

BANQUES

Les banques sont ouvertes de 9h/10h à 17h/18h du mardi au vendredi et à partir de 13h le lundi.

TÉLÉPHONER

Pour téléphoner depuis la France aux Pays-Bas, composez le 00 31, suivi de l'indicatif de la ville sans le 0 initial (pour Amsterdam le 20). Pour téléphoner en France, il faut composer le 00 suivi de 33 puis le numéro de votre correspondant sans le zéro initial. Dans Amsterdam même, il suffit de former le numéro à 7 chiffres, précédé

du 020 si vous appelez d'une autre ville des Pays-Bas. Les cabines sont vertes comme le label des *PTT telecom*. Elles fonctionnent avec des pièces ou des cartes magnétiques en vente dans les bureaux de poste, gares, agences du VVV et bureaux de tabac. La plupart acceptent les cartes bancaires internationales. Téléphoner depuis le *Telecenter* (Raadhuistraat, 48), ouvert jour et nuit, permet de régler le montant de la communication en espèces, par carte bancaire ou par chèque de voyage. Téléphoner après 18h30 ou pendant le week-end revient moins cher. Enfin, si vous téléphonez de votre chambre d'hôtel, sachez que l'on vous comptera une surtaxe assez importante. Pour vous simplifier la vie, vous pouvez demander la **carte France Telecom** qui permet de téléphoner dans le monde entier à partir d'un poste ou d'une cabine. Le montant des communications est débité sur votre compte téléphonique, au tarif français. Pour plus de renseignements : ☎ 0 800 202 202. Les timbres sont en vente dans les bureaux de poste ouverts de

9h à 18h en semaine et jusqu'à 13h le samedi. On en trouve aussi chez les marchands de journaux et de cartes postales. Le tarif pour une lettre de 20 g est l'équivalent de celui de la France. Glissez votre courrier pour l'étranger dans la fente *overige bestemmingen* des boîtes aux lettres rouges des PTT.

OFFICES DE TOURISME

VVV, Stationplein, 10 ; Leidseplein, 12 ; Schiphol (terminal 2, hall d'arrivée) :
☎ 00 31 900 400 40 40
www.amsterdamtourist.nl
En plus des dépliants avec des informations sur Amsterdam et ses environs et un plan, les hôtesses parlant anglais ou français peuvent vous renseigner sur les spectacles, les excursions et les hôtels en se chargeant des réservations si vous le désirez. Il faut savoir que les bureaux des deux offices de tourisme de la gare centrale (t. l. j. 8h-20h) sont toujours bondés. En revanche, il y a beaucoup moins de monde dans le bureau de l'office de tourisme qui se trouve sur la Leidseplein (t. l. j. 8h-19h). Le mieux étant tout de même de vous renseigner au maximum avant de partir.

HORAIRES D'OUVERTURE

La majorité des musées ouvrent leurs portes de 10h à 17h en semaine et à partir de 13h le dimanche. Si les musées importants sont ouverts tous les jours, certains ferment le lundi et le dimanche matin (jusqu'à 11h ou 13h). Les jours fériés, ils adoptent l'horaire du dimanche sauf les 1er jan., 25 déc. et 30 avr., dates auxquelles ils sont fermés. Les étudiants, les jeunes de 6 à 18 ans et les seniors (plus de 65 ans) bénéficient d'un tarif réduit, sur présentation d'un document justificatif.

SE REPÉRER

	A	B	**C**	D	E
1					
2					
3					
4					

Les minicartes situent chacune des balades du chapitre Visiter sur la carte générale de la ville placée en fin de guide.

Le Béguinage, culture et histoire

L'histoire et la culture se rejoignent ici, sur l'élégante place triangulaire du Spui. Le café brun le plus réputé, deux cafés branchés qui se font face, une bonne librairie et le Béguinage comme un îlot de tranquillité à deux pas de la populaire Kalverstraat, voilà tous les ingrédients réunis pour faire de cet endroit le rendez-vous des intellos.

1 Spui★★

Ancien fief des *provos* qui faisaient des rondes endiablées autour de la statue de *Livertje*, sorte de gavroche amstellodamiens qui symbolise leur esprit frondeur, le Spui a été restauré pour devenir LA place culturelle d'Amsterdam où se tient chaque vendredi un marché aux livres anciens et les dimanches un marché d'art contemporain.

2 Le Béguinage *(Begijnhof)*★★★

Entrée sur le Spui signalée par un blason sculpté
T. l. j. 10h-17h
Accès libre.

Un petit passage voûté donne accès à ce charmant jardin encadré de maisons des XVIIe et XVIIIe s. Les béguines, femmes célibataires et pieuses, ont été remplacées par des dames âgées ou des étudiantes aux revenus modestes. Au milieu de la pelouse, l'église médiévale et au n° 34, la plus ancienne maison de la ville. Construite en bois, elle date de 1477.

3 Galerie des Gardes civiques★ *(Schuttersgalerij)*

Lun.-ven. 10h-17h,
sam. et dim. 11h-17h
Accès libre.

Ce passage couvert qui relie le Musée historique au Béguinage expose d'immenses portraits collectifs des gardes civiques chargés autrefois d'assurer la

défense de l'un des onze quartiers de la ville. À les voir, ces bourgeois déguisés en arbalétriers, archers ou arquebusiers passaient plus de temps à table que sur le champ de tir !

❹ Amsterdams Historisch Museum★★
(Musée historique d'Amsterdam)
Kalverstraat, 92
Nz Voorburgwal, 359
☎ 523 18 22
www.ahm.nl
Lun.-ven. 10h-17h,
sam. et dim. 11h-17h
Accès payant.

L'histoire se lit pas à pas dans ce musée très didactique installé dans un ancien orphelinat de garçons et de filles, construit au XVe s. et agrandi au XVIIe s. Œuvres d'art, cartes et maquettes évoquent le quotidien des Amstellodamiens depuis le XIIIe s.

❺ Café Hoppe★★
Spui, 18-20
☎ 420 44 20
T. l. j. 8h-1h (2h les ven., sam., dim.).

C'est une véritable institution depuis 1670, fréquentée aussi bien par des habitués que par des gens de passage. L'étroite salle lambrissée au plancher saupoudré de sciure de bois est toujours enfumée et bondée au point de déborder sur la place aux beaux jours.

❻ Lucius★★
Spuistraat, 247
☎ 624 18 31
T. l. j. sf. dim. 17h-minuit.

Pas d'erreur, c'est le meilleur restaurant de poisson de la ville ! Dans une salle au décor simple de faïences et de tables rustiques, les plats du jour sont inscrits à la craie sur le tableau noir. On y sert à la bonne franquette des spécialités de poissons et fruits de mer selon l'arrivage. Et pour digérer, un grand choix d'eaux-de-vie.

❼ SQUAT VRANKRIJK★
Spuistraat, 199-216.

Squatter est passé de mode. Pourtant, quelques irréductibles qui ont racheté leur squat, ont fait des anciens locaux du quotidien *Handelsblad* une sorte de monument-souvenir de ce vaste mouvement de contestation *provo* qui a sévi dans les années 1970. Les tags et les graffitis aux couleurs criardes, les « mort aux flics » affichés en façade et les soirées trash n'en donnent plus aujourd'hui qu'un pâle reflet.

❽ Atheneum Boekhandel★
Spui, 14-16
☎ 622 62 48
Lun.-sam. 9h30-18h, jeu. jusqu'à 21h, dim. 12h-17h30.

Cette librairie est à l'image de la place, très élégante et très bien fréquentée. Pour acheter le dernier best-seller ou un disque, entrez dans ce beau magasin de style Art nouveau. Pour les journaux en langue étrangère, rendez-vous dans l'annexe voisine.

Le Dam,
cœur battant d'Amsterdam

C'est ici que bat le cœur de la ville, et l'animation y est permanente, entre néons et fast-foods. Les beaux monuments qui encadrent la place résument le credo calviniste : argent, religion et ardeur au travail, valeurs contestées par les *provos* qui y élurent leur quartier général. Le plus vilain monument de la ville, un obélisque de béton élevé en hommage aux Hollandais morts pour la patrie, sert toujours de lieu de rassemblement aux néo-hippies, punks et paumés de tout poil.

❶ Le Palais royal★
(*Koninklijk Paleis*)
☎ 624 86 98
www.koninklijkhuis.nl
**Pas d'horaires fixes,
se renseigner par téléphone
Accès payant.**

Avant de devenir la résidence royale de Louis-Bonaparte, ce bâtiment lourdaud et austère fut l'hôtel de ville dessiné par le fameux architecte du Siècle d'or, Jacob van Campen.
Ne manquez pas le superbe dallage de la grande salle des Bourgeois (*Burgerzaal*) qui représente les cartes des deux hémisphères. La reine n'y vient plus que pour les réceptions officielles.

❷ Nieuwe Kerk★★
(*Nouvelle Église*)
☎ 638 69 09
**Ouv. pendant les expositions
temporaires t. l. j. 10h-18h
Accès payant.**

De style gothique flamboyant mais maintes fois remaniée au cours des siècles, l'église sert actuellement de cadre pour des expositions ou des concerts. Dans cet intérieur calviniste très dépouillé sont mis en valeur les vitraux colorés, les lustres en bronze, la chaire en acajou (1649) et la superbe grille du chœur.

Conformément à la tradition, tous les rois et reines des Pays-Bas y furent couronnés.

❸ Palette★
Nieuwezijds Voorburgwal, 125
☎ **639 32 07**
Sam. 11h-17h et sur r.-v. en semaine.

Adossé à la Nieuwe Kerk, le plus petit magasin de la ville s'est spécialisé dans la confection de chaussures de soie et de satin. Impossible de ne pas trouver, parmi les 500 coloris, la chaussure et les accessoires assortis à votre petite robe du soir !

❹ Hôtel Krasnapolsky★
Dam, 9
☎ **554 91 11**
Ouv. 24h/24.

Pour prendre le thé ou le déjeuner, rendez-vous sans tarder dans ce palace du XXᵉ s. Un stupéfiant et immense jardin d'hiver évoque le faste de la Belle Époque. Dallage blanc et noir, fresques murales et grands palmiers constituent le décor de ce restaurant où l'on mange fort bien de surcroît (buffet pour le lunch et pour les petits déjeuners).

❺ La Bourse de Berlage★★★ (Beurs van Berlage)
Damrak, 277
☎ **530 41 13**
www.beursvanberlage.nl
Musée : mar.-dim. 11h-17h
Accès payant.

Dessinée par H. P. Berlage, elle en impose avec ses 141 m de façade en brique rouge le long du Damrak. En 1903, elle étonnait déjà par ses formes sobres et fonctionnelles en rupture avec le passé. Du haut de sa tour de 39 m, la vue est

splendide. Siège de l'Orchestre philarmonique néerlandais, la grande salle à l'acoustique parfaite accueille des concerts tout au long de l'année.

❻ DE DRIE FLESCHJES★★
Gravenstraat, 18
☎ **624 84 43**
T. l. j. 15h-20h30.

Le plus beau *proeflokaal* de la ville a été fondé par la distillerie Bootz en 1650. Les journalistes et les agents de change s'y retrouvent, la journée finie, pour y boire quelques *borrels* de genièvre après avoir accroché leur veste aux robinets des tonneaux. Vous pourrez y voir une collection unique de portraits des maires d'Amsterdam peints sur des petites bouteilles.

❼ Magna Plaza★
Nieuwezijds Voorburgwal, 182
☎ **626 91 99**
Lun. 11h-19h, mar.-mer. et ven.-sam. 10h-19h, jeu. 10h-21h, dim. 12h-19h.

Cette prétentieuse construction en brique et pierre blanche néogothique valut à son architecte, Cornelis Peters, bien des sarcasmes en 1899. Ancienne poste centrale, elle a été depuis peu transformée en un élégant centre commercial. La cage d'escalier mérite au moins un coup d'œil.

Le Rokin, la promenade du samedi

A	B	C	D	E
1				
2				
3		■		
4				

Kalverstr.

Voetboogstr.

Handboogstr.

Olde Turfmarkt

7

5 Musée Allard-Pierson

Rokin

Nieuwe Doelenstraat

4 Staalstraat

Heiligeweg

Kalverstraat

6

Amstel

3

8

MUNT PLEIN

Singel

1 Munttoren

2 Bloemenmarkt

C'était autrefois, le long du bassin intérieur *(rak-in)*, la promenade préférée des bourgeois, une sorte de Champs-Élysées amstellodamiens où étaient regroupés les établissements les plus prestigieux : les grandes banques, les meilleurs diamantaires, les antiquaires les plus réputés ou la maison Hajenius, fabricant des cigares depuis 1826. Tous avaient pour clients des têtes couronnées. Aujourd'hui, le bassin a été comblé pour laisser le passage aux voitures et aux trams, et des magasins plus populaires se sont joints aux précédents.

amarrées sur le Singel, constituant un marché flottant haut en couleur. Les étals de bouquets de fleurs coupées ou séchées, les précieux bonsaïs, les amoncellements de bulbes constituent un spectacle dont on ne se lasse pas.

❶ Munttoren★
(Tour de la Monnaie)
Muntplein, 12.

Sur les restes d'une ancienne porte de la ville, Hendrik de Keyser éleva en 1620 une tour baroque en bois qui loge un carillon sonnant tous les quarts d'heure. On trouve dans la minuscule boutique du rez-de-chaussée d'authentiques faïences de Delft et de Makkum récentes ou anciennes.

❷ Bloemenmarkt★★
(Marché aux fleurs)
Singel
Lun.-sam. 8h-17h30 et aussi le dim. 9h-17h en été.

Les barges des marchands de fleurs se sont définitivement

❸ Café De Jaren★
Nieuwe Doelenstraat, 20-22
☎ 625 57 71
T. l. j. 10h-1h
(2h ven. et sam.).

Le plus branché des grands cafés, conçu par Onno de Vries, est un bel espace lumineux situé en bordure de l'Amstel. Dès les beaux jours, on se dispute les tables sur la vaste terrasse flottante. Les étudiants comme les hommes d'affaires aiment y prendre un petit déjeuner tardif ou un déjeuner rapide.

4 Staalstraat★★

Cette rue pleine de charme enjambe deux canaux grâce à des ponts-levis. De nombreux magasins y ont élu domicile, dont la librairie d'art Nijhot & Lee et la confiserie Puccini. Au n° 7B, une belle maison à pignon est l'ancienne halle aux draps, siège de la guilde des drapiers portraiturés par Rembrandt (*Syndic des drapiers* au Rijksmuseum, voir p. 62).

5 Musée Allard-Pierson★★
Oude Turfmarkt, 127
☎ 525 25 56
Mar.-ven. 10h-17h ; sam., dim. et j. f. 13h-17h
Accès payant.

Ce musée archéologique de poche est très didactique : il est parfait pour découvrir au travers d'objets et de maquettes la vie quotidienne des peuples méditerranéens durant l'Antiquité. Vous pourrez aussi voir votre nom écrit en hiéroglyphes sur ordinateur ou admirer de superbes bijoux parthes et sassanides…

6 La Maison de Bonneterie★
Rokin, 140
☎ 531 34 00
Lun. 13h-17h30, mar.-sam. 10h-17h30 avec nocturne le jeu. jusqu'à 21h, dim. 12h-17h.

Arborant le label « Fournisseur de la reine », c'est un vrai grand magasin comme au bon vieux temps, qui continue à proposer sur trois niveaux des vêtements anglais indémodables et inusables pour toute la famille, mais aussi tous les accessoires pour le golfeur. Tout aussi désuète est la brasserie de la maison de Bonneterie du premier étage où de vieilles dames respectables viennent prendre le *five o'clock tea*.

7 P.G.C. Hajenius★★
Rokin, 92-96
☎ 623 74 94
Lun.-sam. 9h30-18h avec nocturne le jeu. jusqu'à 21h, dim. 12h-17h.

Une institution à Amsterdam ! Bois de

8 ANDRIES DE JONG *SHIP SHOP*★
Muntplein, 8
☎ 624 52 51
Lun.-ven. 9h30-17h30, sam. 10h-18h.

L'adresse idéale si vous voulez transformer votre appartement en bateau de plaisance : baromètres, lampes-tempête ou lampes de coursive, drapeaux de pirate, boussoles, bref tout l'accastillage nécessaire au petit navigateur qui sommeille en vous.

cèdre, marbres, lampes et accessoires dans le plus pur style Art déco servent de cadre à la prestigieuse maison Hajenius qui depuis 175 ans fabrique des cigares aux subtils mélanges aromatisés.

Du Nieuwmarkt au Prinsenhof, Amsterdam authentique

Le long des canaux ombragés, les boutiques traditionnelles et les anciens couvents convertis en cafés donnent le ton à cet endroit pittoresque. Quartier universitaire, il mélange les genres en accueillant des salles de théâtre expérimental et des bouquinistes, des fumeurs de haschisch ou des mangeurs de harengs. C'est Amsterdam-village, où tout le monde se connaît.

❶ De Waag★
Nieuwmarkt, 4
☎ 422 77 72
T. l. j. 10h-minuit.

Rare vestige de l'enceinte médiévale, la tour massive de la porte Saint-Antoine devint le siège du poids public *(waag)* au XVIIe s. C'est dans la salle de l'étage supérieur, autrefois occupée par la guilde des chirurgiens, que Rembrandt peignit sa première toile célèbre : *La leçon d'anatomie du professeur Tulp*. Aujourd'hui, ce lieu décoré par Jaap Dÿkmann, abrite un café-restaurant chaleureux entièrement éclairé à la bougie, ce qui lui confère une atmosphère particulièrement féerique à la tombée de la nuit. Un endroit branché pour prendre le lunch sur le pouce, déguster des tapas (à partir de 17h) ou dîner simplement entre amis (jusqu'à 22h30). Le lieu bénéficie d'une des plus belles terrasses de la ville.

❷ Trippenhuis★★
Kloveniersburgwal, 29.

Cette imposante maison patricienne construite dans le style Renaissance en 1660 est l'une des seules à Amsterdam à pouvoir rivaliser avec les palais vénitiens. Ses propriétaires, les frères Trip, avaient fait fortune dans le commerce des armes.

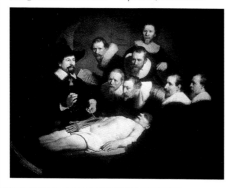

De l'autre côté du canal, au n° 26, on peut voir la maison, beaucoup plus modeste, où habitait… leur cocher !

❸ Herboristerie Jacob Hooy & Cie★
Kloveniersburgwal, 12
☎ 624 30 41
Lun. 10h-18h, mar.-ven. 8h30-18h, sam. 8h30-17h.

Dans cette boutique qui fleure bon les épices, la même famille Oldenboom est derrière le comptoir depuis cent cinquante ans. Les tonneaux de bois alignés sur

les étagères et les tiroirs patinés ne contiennent pas moins de six cents variétés d'herbes aromatiques. Goûtez absolument les délicieux bonbons à la réglisse.

❹ De Bekeerde Suster★★
Kloveniersburgwal, 6-8
☎ 423 01 12
T. l. j. 11h-1h
(2h les ven. et sam.).

Ce nouveau café-brasserie est installé dans l'ancien couvent de Béthénie, lieu d'accueil des filles perdues… d'où son nom de « sœur convertie ». Spécialité de la maison, les bières artisanales amères (Wit Ros) ou de saison (Bockros) brassées dans les grandes cuves en cuivre de l'arrière-salle.

On peut également y manger des plats du jour et déguster diverses variétés de genièvre.

❺ Bâtiment de la VOC
Oude Hoogstraat, 24.

Ce grand bâtiment en brique rouge et pierre jaune surmonté du monogramme VOC *(Vereenige Oostindische Compagnie)* fut aux XVII[e] et XVIII[c] s. le siège de la très fameuse Compagnie des Indes orientales qui ramenait

d'Orient épices, étoffes chamarrées et porcelaines. Les ventes publiques des marchandises rapportées avaient lieu deux fois par an dans la cour.

❻ Manus Magnus★★
Oudezijds Voorburgwal, 258
☎ 622 68 12
Lun.-ven. 10h-18h, ouv. les 1er et dernier w.-e. du mois.

Manus Magnus travaille l'or et l'argent pour créer des coupes, des chandeliers au design pur où la surface lisse ou brossée fait jouer la lumière. Quand il mixe les deux métaux, ces créations-bijoux deviennent des merveilles « organiques », brutes, comme extraites du sol. Si une idée particulière vous vient en tête, n'hésitez pas à la lui soumettre…

❼ Capsicum★★
Oude Hoogstraat, 1
☎ 623 10 16
Lun. 13h-18h, mar.-sam.
10h-18h (jeu. jusqu'à 21h).

Sur un fond de musique classique, une palette de tons et de matières chatoyantes invite au voyage. Cette boutique raffinée vend des tissus pour l'ameublement ou la confection. Ils sont en lin, coton ou soie et viennent en majorité d'Inde et de Thaïlande. Vous verrez des merveilles en soie brodée, la

spécialité de la maison, mais aussi des écharpes en mousseline ou en coton teint selon la technique *Tie and dye*, qui s'apparente au batik. Comptez de 20,40 à 59 € le mètre pour un tissu en coton uni.

❾ Marihuana Museum★
Oudezijds Achterburgwal, 148
☎ 623 59 61
T. l. j. 11h-22h
Accès payant.

Pour en savoir plus sur la marijuana et ses différents usages, entrez dans ce musée

❽ LA PLACE DU NIEUWMARKT

Pour relooker la place du Nieuwmarkt, la municipalité a fait appel à deux sculpteurs hollandais, Alexander Schabracq et Tom Postma, qui ont aussi œuvré sur le Damrak. À leur actif, les lampadaires et les grilles vertes inspirés du constructivisme russe qui, s'ils ne plaisent pas à tout le monde, ont le mérite d'être peu encombrants.

unique en Europe. Il retrace dix mille ans d'histoire du cannabis. Vous apprendrez ainsi qu'avant d'être cultivé dans les caves des particuliers et vendu dans les *coffee*

shops, on en faisait déjà grand usage dans le port d'Amsterdam… mais uniquement pour la fabrication des cordages de chanvre.

❿ Agnietenkapel★ (Chapelle Sainte-Agnès)
Oudezijds Voorburgwal, 231
☎ 525 33 39
Musée universitaire ouv.
lun.-ven. 9h-17h
Accès payant.

De l'ancien couvent médiéval des agnites subsiste la chapelle de 1397, tandis que le reste des bâtiments reçut en 1632

le nom d'*Illustrae Atheneum*, première université de la ville. Au premier étage, la plus ancienne salle de cours d'Amsterdam, un amphithéâtre avec un beau plafond peint de motifs Renaissance, est encore utilisée.

⓫ Maison aux Trois Canaux★★
Angle des canaux Oudezijds Voorburgwal, Oudezijds Achterburgwal et Grimburgwal.

Reconnaissable à ses volets rouges et à sa façade bicolore,

cette belle maison patricienne du Siècle d'or, édifiée à la jonction de trois canaux, était la dernière construction au sud-est de la ville médiévale. Elle abrite aujourd'hui une maison d'édition.

⑫ Passage Oudeman Huispoort★
**Foire aux livres :
t. l. j. 10h-18h.**

Au cœur du quartier universitaire, les bouquinistes ont élu domicile dans les niches d'un passage couvert qui relie deux canaux,

l'Oudezijds Achterburgwal et le Kloveniersburgwal. Jetez un coup d'œil sur la belle cour intérieure et sur les gravures anciennes qui vous replongeront dans l'Amsterdam d'autrefois.

⑬ Prinsenhof★★★ (Hôtel The Grand)
**Oudezijds Voorburgwal, 197
☎ 555 35 60.**

Cet hôtel de luxe était au XVIe s. la résidence des hôtes princiers. Le nom de « Cour des Princes » lui est resté bien qu'il ait, jusqu'en 1986, fait fonction d'hôtel de ville après que celui du Dam eut été transformé en Palais royal. En 1966, on célébrait les noces de la reine Béatrix dans la salle de mariages Art déco.

⑭ Café Roux★
**Oudezijds Voorburgwal, 197
☎ 555 35 60
Ouv. t. l. j. 12h-14h30
et 18h-22h30.**

Cette brasserie Art déco est une des bonnes adresses de la ville pour manger de la cuisine française régionale ou prendre le thé. Elle est décorée d'une fresque de Karel Appel. La guerre avait ravagé l'Europe et, lors d'un voyage en train, il fut frappé par les grands yeux des enfants, qui à chaque arrêt, tendaient leurs mains pour avoir de la nourriture. C'est ce sujet qu'il choisit de représenter ici en 1949 pour payer ses impôts à l'hôtel de ville.

⑮ Frascati Theater★
**Nes, 63
☎ 626 68 66
www.nestheathers.nl
Spectacles : 20h30 ou 21h.**

Dans cette longue rue étroite, un petit théâtre d'essai s'est spécialisé dans des pièces et des chorégraphies contemporaines. Il n'est pas toujours nécessaire de comprendre le néerlandais pour assister à un de ces spectacles parfois déroutants. Le café voisin, De Blincker, propose de la petite restauration jusqu'à 21h30 et accueille beaucoup de gens du spectacle.

Le quartier rouge,
grands trafics et petite vertu

C'est sans doute l'endroit le plus visité d'Amsterdam et l'on ne saurait reprocher au touriste de regarder malgré lui les dames de petite vertu qui attendent le client au chaud derrière la vitre. Relativement calme la journée, le quartier s'anime le soir lorsque s'allument les néons rouges. Une foule de curieux accostés par les rabatteurs et les dealers se presse le long des quais, tandis que de la *Zeedijk* proviennent des effluves orientaux. Ils annoncent le Chinatown très discret d'Amsterdam. Comble de l'ironie, ce quartier pas très « catholique » abrite aussi deux églises, dont l'une clandestine...

❶ Oude Kerk★★
(Vieille Église)
Oude Kerksplein, 23
☎ 625 82 84
Dim. 16h-17h, concert de carillons.

Avec les petites maisons accrochées à ses flancs, elle ressemble à un vaisseau abandonné au milieu de cet océan de perdition. Son clocher octogonal, de style gothico-Renaissance comme le reste de l'édifice, servait jadis de repère aux marins. Elle n'a pas échappé à la furie iconoclaste des calvinistes à la fin du XVIe s., ce qui explique son intérieur très dépouillé, qui sert occasionnellement pour les concerts.

❷ Amstelkring Museum★★★
Oudezijds Voorburgwal, 40
☎ 624 66 04
Lun.-sam. 10h-17h,
dim. 13h-17h
Accès payant.

Cette coquette maison bourgeoise cache dans son grenier une chapelle clandestine aménagée en 1663 lorsqu'on ôta aux catholiques la liberté de culte. La maison elle-même avec son lourd mobilier hollandais, ses tapis de tables, ses deux cuisines carrelées de Delft et ses multiples recoins mérite une visite.

❸ Oudezijds Voorburgwal★
À deux pas de l'ancien port, ce canal était sans doute voué à devenir le quartier général des pêcheurs et des pécheresses.

Dans des vitrines éclairées par des néons rouges, des dames très dénudées téléphonent, regardent ce qui se passe dans la rue, dansent, lisent un magazine pour passer le temps entre deux clients. Ici, aucune ambiguïté quant à la profession exercée.

❹ Condomerie Het Gulden Vlies
Warmoesstraat, 141
☎ 627 41 74
Lun.-sam. 11h-18h.

Les années Sida ont offert à la capote un second souffle. Elle a pris de la saveur et de la couleur et se cache parfois sous les formes les plus inattendues : pis de vache, main, Mickey, sucette. Plein d'idées-cadeaux rigolotes.

❺ Geels & Co★★
Warmoesstraat, 67
☎ 624 06 83
Lun.-sam. 9h30-18h.

Non, ce n'est pas un *coffee shop*, mais seulement une boutique dans laquelle on

vend depuis un siècle et demi de l'excellent café torréfié sur place. Les propriétaires se feront un plaisir de vous montrer leur collection de machines à torréfier et de moulins à café exposée au premier étage.

❻ Het Karbeel
Warmoesstraat, 58
☎ 627 49 95
T. l. j. 10h-22h30.

Qui peut se douter que ce petit « café-restaurant » à l'allure tranquille fut dès le XVIᵉ s. une auberge et qu'au XVIIᵉ s. un grand souterrain, toujours existant, fut creusé sous les maisons pour rejoindre le Damrak et permettre aux contrebandiers de passer leurs marchandises ?

❼ Cirelli restaurant★★
Oudezijds Kolk, 69
☎ 624 35 12
T. l. j. à partir de 18h, f. dim. en hiver ; réservation conseillée.

Dans cet ancien entrepôt décoré avec une touche de fantaisie, on mange les meilleures pâtes de la ville. Ne manquez surtout pas la sculpture-table centrale due au sculpteur Alexander Schabracq. Remarquez aussi les lampes.

❽ Schreierstoren★
(Tour des Pleureuses)
Prins Hendrikkade, 94-95
☎ 624 80 52
Café : lun. 10h-21h, mar.-jeu. 10h-1h, sam. 10h-3h, dim. 11h-20h.

Du haut de cette tour, les femmes de marins regardaient s'éloigner ceux qu'elles risquaient de ne plus revoir. Y ont élu domicile un café (1ᵉʳ étage) et un magasin (2ᵉ étage) proposant des almanachs, des cartes du ciel et surtout les très précieux baromètres Bolle.

> « *Semblables à d'opulents Rubens, elles trônent dans leur fauteuil, à côté du vase de roses en papier, dans la lumière intime de la lampe. À Amsterdam, même le vice prend un caractère archaïque de bonhomie chaleureuse et méditative.* »
>
> Klaus Mann, 1952.

L'ancien quartier juif, un secteur rénové

L'Amstel une fois franchie, on pénètre dans un quartier fantôme dominé par la masse très controversée du Stopera. La construction du métro et la promotion immobilière ont parachevé l'œuvre destructrice de la Seconde Guerre mondiale. Les juifs s'y retrouvent encore le samedi pour célébrer leurs offices dans la grande synagogue et il n'y a guère que le marché aux puces du Waterlooplein pour donner un peu de vie à cette place ratée.

(carte : N. Hoogstr., St. Antoniesbreestr., Pintohuis ③ ④, Oudeschans, N. Uilenburgerstr., Uilenburgergracht, Rembrandthuis ②, Jodenbreestraat, Zwanenburgwal, WATERLOO PLEIN, MR. VISSERPLEIN, Muziektheater Stopera ⑥, WATERLOO PLEIN, Muiderstraat, Synagogue portugaise ①, Nieuwe Amstelstr., JONAS DANIËL MEIJERPLEIN, Joods Historisch Museum ⑤, Herengracht, Amstel, BLAUW BRUG ⑦, Amstelstr., Nieuwe)

❶ Synagogue Portugaise★★★ (*Esnoga*)
Mr. Visserplein, 3
☎ 624 53 51
1er avr.-31 oct. dim.-ven.
10h-16h ; 1er nov.-31 mars
dim.-jeu. 10h-16h,
ven. 10h-15h
Accès payant.

Cet énorme cube de brique éclairé par de vastes verrières est bien une synagogue, l'une des plus belles d'Europe. Financée par la communauté des juifs portugais descendants de ceux qui furent chassés par l'Inquisition espagnole, elle a gardé, miraculeusement intact, l'aspect qu'elle avait lors de son inauguration en 1675.

❷ Maison de Rembrandt★★ (*Rembrandthuis*)
Jodenbreestraat, 4-6
☎ 520 04 00
Lun.-sam. 10h-17h et dim.
13h-17h ; f. 1er janv.
Accès payant.

C'est grâce à la dot de sa femme Saskia que Rembrandt acquit cette superbe maison Renaissance en 1639. Il y vécut vingt ans, peignant dans son atelier du premier étage ses plus belles toiles. Mais c'est un autre aspect de son formidable talent que vous apprécierez ici au travers de 250 gravures exposées par thème : scènes de genre, autoportraits, études de nus, paysages…

❸ Pintohuis★
Sint Antoniesbreestraat, 69
☎ 624 31 84
Lun. et mer. 14h-20h,
ven. 14h-17h, sam. 11h-16h
Accès libre.

En 1651, Isaac Pinto, un riche banquier juif, s'était offert pour une coquette somme ce joli palais italianisant pour le moins inattendu dans ce quartier défiguré. Sauvé in extremis de la destruction et converti en bibliothèque, il a conservé quelques peintures originales au plafond du rez-de-chaussée et des guirlandes dorées sur les poutres de la salle du 1er étage.

❹ Joe's Vliegerwinkel★
Nieuwe Hoogstraat, 19
☎ 625 01 39
Lun. 13h-18h, mar.-ven. 11h-18h, sam. 11h-17h.

Pour ravir petits et grands enfants, il faut faire un détour par cette boutique qui regorge de cerfs-volants de toutes tailles et de toutes formes. En Nylon et multicolores, ils sont créés par la maison ou importés de Chine et des États-Unis… le critère de sélection étant la beauté et l'originalité !

❺ Joods Historisch Museum★
(Musée de l'Histoire juive)
Jonas Daniël Meijerplein, 2-4
☎ 626 99 45
www.jhm.nl
T. l. j. 11h-17h
Accès payant.

Il a pour cadre quatre synagogues de la communauté ashkénaze, reliées entre elles par des verrières et des passerelles. Présentés par thèmes, objets, photos et documents illustrent la vie et la culture des juifs installés à Amsterdam depuis la fin du XVIe s.

❻ Muziektheater « Stopera »★★
Waterlooplein, 22 / Amstel, 3
☎ 551 89 11 / 551 91 11.

L'énorme complexe moderne qui domine l'Amstel abrite le nouvel hôtel de ville et un opéra de 1 600 places. En raison de son aspect esthétique très controversé et de nouvelles destructions dans un quartier déjà malmené, sa construction a suscité de violentes réactions. Inauguré en 1986, il a gardé le surnom que lui avaient donné ses détracteurs : *stopera* (« Arrêtez l'opéra ! »).

❽ GASSAN DIAMONDS★★★
Nieuwe Uilenburgerstraat, 173-175
☎ 622 53 33
T. l. j. 9h-17h, visite gratuite ttes les 20 min
Accès libre.

Gassan est le plus grand diamantaire hollandais et ce sont des gemmologues qui vous commentent le travail des polisseurs de pierres, vous expliquent le pourquoi des facettes, ce qui fait la valeur d'un diamant et surtout les pièges à éviter lors d'un achat. Pour profiter des commentaires en toute tranquillité il est préférable de venir à l'ouverture ou entre 13h et 15h.

L'acoustique y est pourtant remarquable.

❼ Pont Bleu★
(Blauwbrug)
Construit à l'occasion de l'Exposition universelle de 1883, cette pâle imitation du pont Alexandre III à Paris enjambe la majestueuse Amstel, la rivière qui est à l'origine de la ville et à qui elle doit aussi son nom : *Amstel-dam* ou « barrage sur l'Amstel ».

Le Jordaan,
Amsterdam populaire

C'est le quartier favori des Amstellodamiens. Avec son réseau serré de ruelles et de maisons étroites, ses cafés bruns patinés de nicotine, ses courettes fleuries, ses minuscules boutiques, ses canaux peuplés de péniches et son marché aux oiseaux, il est celui qui a conservé intactes l'âme et la gouaille populaire. Bâti à l'extérieur de la ville du XVIIᵉ s., il était réservé aux ouvriers, artisans et portefaix, le Prinsengracht faisant fonction de frontière naturelle avec l'univers cauteleux des bourgeois. Bien qu'il se soit quelque peu embourgeoisé, il possède son langage et son folklore qui vit avec plus d'intensité en septembre lors du festival du Jordaan.

Carte :
A B C D E
1 2 3 4

Driehoekstr.
Palmgracht
Palmstraat
Willemsstraat
Goudsbloemstraat
Lindengracht
Lindenstr.
Karthuizersstr. Boomstr.
Westerstraat
Anjeliersstraat
Tuinstraat
Egelantiersstraat
Egelantiersgracht
Lelistraat
Nieuwe
Bloemgracht
Bloemstraat
Rozengracht
Lijnbaansgracht
Brouwersgracht
Nooder-markt
Noorderkerk
Prinsengracht
Keizersgracht
Leliegracht
Wester-markt
Westerkerk

style Renaissance à avoir été construite après la Réforme. Le clocher, qui s'élève à 85 m, est surmonté de la couronne impériale que Maximilien d'Autriche ajouta aux armes de la ville.

❶ Westerkerk★★
(Église occidentale)
Westerplein
Visite du clocher avr.-sept. lun.-sam. 10h-16h, concert de carillons dim. 12h-13h
Accès payant.

Considérée comme le chef-d'œuvre d'Hendrick de Keyser, elle est la première église de

❷ Coppenhagen, 1001 kralen★
Rozengracht, 54
☎ 624 36 81
Ouv. lun. 13h-18h, mar.-ven. 10h-18h, sam. 10h-17h.

Sur les étagères, vous découvrirez des centaines de flacons où scintillent des perles en verre de toutes les couleurs. Perles anciennes en pâte de verre de Murano et de Bohême, servant jadis de monnaie d'échange avec les roitelets africains, ou perles récentes d'Inde, d'Indonésie, d'Allemagne et de Venise.

❸ Maison d'Anne Franck★
Prinsengracht, 263
☎ 556 71 00
T. l. j. 9h-17h et d'avr. à août 9h-21h
Accès payant.

Si les longues files d'attente ne vous rebutent pas, vous verrez l'*achterhuis* ou

« maison de derrière », où l'adolescente Anne Franck vécut en recluse avec les siens, en tout huit personnes, durant deux ans, avant d'être déportée et de mourir au camp de Bergen-Belsen. Témoignage poignant, son journal intime a été retrouvé et publié dans près de cinquante langues différentes.

Les revenus de ce livre servent en partie à financer la fondation Anne-Franck qui lutte contre le racisme.

❹ Bloemgracht★
Le canal aux Fleurs, l'un des plus huppés du Jordaan, était

au XVIIe s. habité par des teinturiers. Il est aujourd'hui bordé de belles maisons à pignon, ornées de blasons identifiant l'activité de leurs occupants. Trois d'entre elles, aux nos 87-89-91 ont des façades caractéristiques.

❺ Sint Andrieshofje★★
Egelantiersgracht, 107
Accès libre.

Franchissez la porte surmontée d'un blason. Au bout du couloir tapissé

de carreaux en faïence de Delft, vous aurez la surprise de découvrir un petit jardin fleuri (*hof*) entouré de minuscules maisons qui hébergeaient jadis les vieillards dans le besoin. Cet ancien béguinage, fondé en 1616, est aujourd'hui l'un des coins les plus recherchés de la ville. Les logements y sont ruineux !

❻ 't Smalle★★
Egelantiersgracht, 12
☎ 623 96 17
Lun.-ven. 10h-1h, sam. et dim. 10h-2h.

Ce café est ouvert depuis 1780 ! C'est dire si la nicotine a eu le temps d'imprégner les murs et les meubles de cette institution typique du Jordaan. Remarquez les jolis vitraux émaillés et le mobilier patiné. La reine Béatrix elle-même est venue goûter à cette atmosphère chaleureuse… mais elle est restée dehors, sur la terrasse flottante prise d'assaut dès le premier rayon de soleil.

❼ Greenpeace★
**Angle Keizersgracht
et Leliegracht.**

L'association écologiste Greenpeace s'est installée dans ce très bel édifice Art nouveau construit en 1905 par Gerrit van Arkel. La façade imposante est animée de mosaïques, de bow-windows et de clochetons. Jetez aussi un coup d'œil sur le hall d'entrée décoré de céramiques.

❽ Mecanisch Speelgoed★
**Westerstraat, 67
☎ 638 16 80
Lun.-ven. 10h-18h, sam. 10h-17h, f. le mer.**

Cette petite boutique réédite les jeux anciens au charme désuet que nous avions coutume de voir chez nos grands-parents. Sur deux étages s'amoncellent des jeux d'adresse, de patience, des masques et surtout des jouets mécaniques en tôle peinte.

❾ Claes Claesz in de Jordaan
**Egelantiersstraat, 24-26
☎ 625 53 06
T. l. j. sf. lun. 10h-23h.**

Il suffit de pousser la porte en bois pour se retrouver dans un de ces endroits secrets du Jordaan, un ancien hospice fondé par un riche drapier en 1616. Petits veinards, ce sont les étudiants du conservatoire de musique qui

ont aujourd'hui investi les lieux. Le petit restaurant attenant sert une cuisine généreuse et populaire, accompagnée par des chansons, pendant le week-end.

Friese Biologische Kaashandel

❿ Noordermarkt★

Sur cette place triangulaire entourée de cafés sympas se tient le samedi matin un marché très pittoresque. Pigeons voyageurs, oiseaux exotiques, poussins piaillant dans les cages avoisinent les étals de produits venus tout droit de la ferme.

⓫ Brouwersgracht★★

Le canal des Brasseurs marque la limite septentrionale de ce quartier. Avec ses nombreux ponts, ses entrepôts à volets rouges reconvertis en lofts et ses *house-boats* fleuris amarrés le long des quais, c'est l'une des vues les plus colorées d'Amsterdam.

⓬ Aarde-Shirdak★
**Westerstraat, 10
☎ 423 32 10
Lun. et mer.-sam. 10h-17h.**

Dans cet entrepôt sont entassés les trésors collectés par Marianne et Annemieke au cours de leurs fréquents voyages en Afghanistan, Pakistan, Asie Centrale et Inde. Vous pourrez ainsi acquérir des anciennes portes et des frontons de maison du Nuristan, des armoires sculptées rajpoutes, des pantoufles d'enfants kirghizes, des vêtements et des bijoux ethniques, des tapis et des kilims nomades, de lourdes assiettes en pierre brute ou encore les chapeaux et les chaussons en feutre, actuelles créations du Russe Alexander Pilin.

13 't Papeneiland★★
Prinsengracht, 2
☎ 624 19 89
Lun.-jeu. 10h-1h, ven. et sam. 10h-2h, dim. 12h-1h.

Rutilantes pompes à bière, vieux poêle en fonte au milieu de la pièce et murs carrelés de Delft composent le décor de ce petit café brun, ouvert depuis 1642… qui a sa clientèle d'habitués.

14 Koevoet★
Lindenstraat, 17
☎ 624 08 46
Dîners à partir de 18h, sf. dim. et lun.

Un de ces petits *eetcafé* sans prétention comme en produit le Jordaan. On entre par un ancien débit de boissons au plancher usé pour accéder quelques marches plus haut à la petite salle de restaurant où sont disposées quelques sympathiques tables d'hôtes.

15 LE GENIÈVRE VAN WEES★
À l'extrémité du Brouwersgracht, la Drieheckstraat est le fief de la plus ancienne distillerie du pays, propriété de la famille van Wees où l'on se transmet de génération en génération les secrets de fabrication du genièvre parfumé aux herbes. Pour le déguster, il faudra cependant pousser une pointe jusqu'au *proeflokaal* « De Admiraal » sis au n° 319 du Herengracht.

16 Noorderkerk (*Église du Nord*)

Petite sœur de la Westerkerk et dessinée par le même architecte, l'église protestante fut construite spécialement pour les habitants du Jordaan qui trouvaient l'église occidentale trop bourgeoise. C'est l'une des rares églises où sont encore célébrées des messes.

Rembrandtplein,
maisons patriciennes et boîtes gay

	A	B	C	D	E
1					
2					
3					
4					

E ntre l'Amstel et Keizersgracht, il y a le quartier côté jour avec ses belles perspectives de places et de canaux ombragés où se mirent les opulentes façades de demeures patriciennes qui daignent parfois ouvrir leurs portes et leurs secrets aux passants. Mais lorsque s'allument les guirlandes sur l'enfilade des sept ponts du Reguliersgracht, les gens de la nuit envahissent les rues, transformant le quartier en un lieu très branché où les fast-foods côtoient les bars gay.

trône au centre. Aujourd'hui entièrement bordée de cafés plus ou moins chic, dont les grandes terrasses se déploient sur la rue, elle est l'un des lieux de rendez-vous de la jeunesse.

❶ Rembrandtplein★

Place de l'ancien marché au beurre, elle a été rebaptisée du nom du grand maître du Siècle d'or dont la statue

❷ Van Loon Museum★★★
Keizersgracht, 672
☎ **624 52 55**
Ven.-lun. 11h-17h
Accès payant.

En ouvrant les portes de sa demeure familiale, l'héritier Van Loon vous convie dans l'univers feutré des patriciens du XVIIIe s. Avec ses pièces tendues de soie, ses coffres en bois exotique, ses portraits de famille et ses tables dressées de précieuse vaisselle, c'est l'un des endroits les plus délicieux de la ville.

❸ Hooghoudt★★

Reguliersgracht, 11
☎ 420 40 41
T. l. j. 17h-minuit.

Dès la sortie des bureaux, ce *proeflokaal* logé dans un entrepôt du XVIIe s. ne désemplit pas jusqu'à la fermeture. On y boit du genièvre de Groningen conservé dans des bouteilles en grès afin de conserver son arôme particulier. Demandez pour commencer un *korewijn* (vin de blé) glacé.

❹ Foam★★
(Musée de la Photographie)

Keizersgracht, 609
☎ 551 65 00
www.foam.nl
T. l. j. 10h-17h avec nocturne les jeu. et ven. jusqu'à 21h; f. 1er janv.
Accès payant.

Trois maisons patriciennes du XVIIIe s. et leurs jardins ont été réunies par un savant jeu de passerelles par l'architecte Benthem Crouwel pour héberger la fondation Van den Ende. Nouvelle plate-forme des arts visuels, ce lieu ultracontemporain expose tout au long de l'année, par rotation de trois mois, les clichés et vidéos de grands photographes internationaux. Aux cimaises du rez-de-chaussée sont accrochées

les œuvres de jeunes talents (encore) inconnus.

❺ Het Tuynhuys★

Reguliersdwarsstraat, 28
☎ 627 66 03
Lun.-ven. 12h-14h30, t. l. j. 18h-22h30.

Derrière le marché aux fleurs se cache une ancienne remise à calèches décorée par le photographe et designer Kees

Hageman. En été, on dîne dans le très beau jardin, au son de la flûte. Un menu très alléchant et une carte variée sont renouvelés au rythme des saisons.

❻ Willet-Holtuysen Museum★★

Herengracht, 605
☎ 523 18 22
Lun.-ven. 10h-17h, sam. et dim. 11h-17h (f. 25 déc., 1er janv. et 30 avr.)
Accès payant.

Les époux Willet Holtuysen qui habitèrent cette belle demeure du Siècle d'or étaient de fervents collectionneurs de verrerie, porcelaine, d'argenterie et de tableaux. De la cuisine au jardin à la française, vous

❼ Saturnio★

Reguliersdwarsstraat, 5
☎ 639 01 02
T. l. j. 12h-minuit.

Décor de colonnes et de mosaïques mauresques où vient s'attabler, entre autres, la communauté gay. La cuisine est sicilienne avec d'excellentes escalopes et des spécialités de poissons. Suggestions du jour sur le tableau noir.

vivrez le quotidien des grands bourgeois du XVIIIe s.

❽ Cinéma Tuschinsky★★

Reguliersbreestraat, 26-28
Réservations :
☎ 0900 202 53 50
ou www.pathe.nl/tuschinski
Ciné t. l. j. 12h-22h
Accès payant.

Derrière une surprenante façade encadrée de tourelles se cache l'un des joyaux de l'Art déco. Construit en 1921 par Abraham Içek Tuschinski, un juif polonais ayant fait fortune en Amérique, ce cinéma a conservé boiseries, vitraux, lampes et tapisseries d'époque. À découvrir en allant voir un film, de préférence dans une baignoire de la grande salle, ou en participant à une visite guidée de 75 min.

Le Canal des seigneurs,
un quartier en dehors du temps

L uxe, calme et volupté règnent en maître tout au long du plus beau canal d'Amsterdam. Dessinées et décorées par les meilleurs artistes, les grandes demeures patriciennes sont, avec leurs frontons baroques et leurs façades austères, à l'image de leurs riches occupants. Et pour ne pas troubler leur repos, c'est depuis toujours un quartier strictement résidentiel où ni les restaurants, ni les cafés n'ont reçu l'autorisation de s'installer en dehors des rues traversières. C'est en somme un quartier en dehors du temps où l'on se surprend à guetter le bruit des calèches sur le pavé et les échos des fêtes princières.

❶ Banque ABN-AMRO★
Vijzelstraat, 66-80.

Encore un témoignage de l'effervescence architecturale qui régnait à Amsterdam dans les années 1920. Sur 100 m et dix étages s'étend cette masse polychrome et absolument géométrique dessinée par K. de Bazel.

❷ Katten Kabinet ★★
Herengracht, 497
☎ 626 53 78
Ouv. 28 juin-28 août mar.-ven. 10h-14h, sam. et dim. 13h-17h
Accès payant.

Le chat est roi en cette belle demeure du Siècle d'or décorée de stucs peints. Unique objet des expositions temporaires qui s'y tiennent,

il est aussi bien vivant, pelotonné dans un fauteuil d'époque ou gambadant dans le jardin fleuri.

❸ Gouden bocht ★★ (*Le Tournant d'or*)
Herengracht, 507, 495, 475, 476 et 478.

Là où le canal s'incurve, s'élève un ensemble de maisons parmi les plus opulentes de la ville. Occupant une double parcelle, leurs orgueilleuses façades un peu froides illustrent la richesse et l'assurance des patriciens et des négociants du XVIIIe s.

❹ Theater Museum★★
Herengracht, 168
☎ 551 33 00
Mar.-ven. 11h-17h
et sam.-dim. 13h-17h
Accès payant.

Ne manquez pas le plus bel escalier monumental de la ville. Construit en colimaçon et en fausse perspective, il occupe un hall entièrement décoré de stucs et de grisailles à sujets mythologiques dus à Jacob de Wit, un artiste que tous les bourgeois se disputaient au XVIIIe s. Le second joyau du musée est un théâtre miniature (1781) avec des décors mobiles.

❻ Pompadour★
Huidenstraat, 12
☎ 623 95 54
Mar.-sam. 9h-18h.

Le Tout-Amsterdam vient y acheter des gâteaux, des chocolats et des caramels faits maison. Le salon de thé attenant est toujours bondé

❺ Brilmuseum★
Gasthuismolensteeg, 7
☎ 421 24 14
Mer.-sam. 11h30-17h30.

Cette vieille demeure abrite le palais de la lunette. On peut y acheter des montures anciennes mais aussi visiter les deux étages transformés en musée. Pince-nez, lorgnons, matériel d'optique, lunettes de stars à paillettes, maxi-lunettes des années 1970… Elles sont toutes là. Inimaginable !

l'après-midi quand ces dames viennent faire une pause sucrée entre deux emplettes.

❼ d'Theeboom
Singel, 210
☎ 623 84 20
Lun.-sam. déjeuner 12h-14h, dîner 18h-22h.

Le patron français fait lui-même la cuisine dans cet ancien entrepôt de fromage et beurre. La carte, qui varie selon l'arrivage, propose quelques musts comme la glace à la cannelle et aux cerises amarena tièdes. Un délice !

❽ Sauna déco★★
Herengracht, 115
☎ 623 82 15
Lun.-sam. 12h-23h, dim. 13h-18h.

Si c'est pour se faire suer, autant choisir un bel endroit ! Du salon aux salles de vapeur, vous serez dans un décor authentiquement 1920. Et devinez d'où proviennent ces magnifiques vitraux, boiseries, appliques

murales et escaliers ? Du Bon Marché à Paris, lorsque ce grand magasin a entrepris des travaux de rénovation !

Le coin des antiquaires et des brocanteurs

D'un canal à l'autre, d'une rue à l'autre, vous serez confronté à des micro-univers qui revendiquent chacun leur spécificité : les valeurs sûres et immuables des quatre-vingts antiquaires installés depuis l'inauguration du Rijksmuseum dans la Nieuwe Spiegelstraat ; les plaisirs plus terrestres proposés par les établissements de restauration et de spectacles regroupés autour de la Leidseplein animée de jour comme de nuit ; et entre les deux, le Prinsengracht qui joue la nonchalance et accueille aussi bien brocanteurs qu'antiquaires, pourvu qu'ils cultivent l'originalité et le sens de l'humour.

❶ Couzijn Simon★★
Prinsengracht, 578
☎ 624 76 91
T. l. j. 10h-18h.

Couzijn a deux passions : sa moustache orange vif et

les jouets très anciens et très rares. Poupées à cheveux de soie, chevaux à bascule, bateaux à voiles, dînettes ou chiens mécaniques sont les nouveaux hôtes de cette pharmacie du XVIIIe s. au carrelage vernissé.

❷ Frans Leidelmeijer★★
Nieuwe Spiegelstraat, 58
☎ 625 46 27
Mar.-sam. 11h-18h.

N'hésitez pas à sonner pour découvrir ce temple de l'Art nouveau et de l'Art déco, sans

conteste l'un des plus beaux magasins d'antiquités du coin. Frans Leidelmeijer, auteur d'un livre sur le sujet, vous dévoilera tout ce qu'il faut savoir sur les meubles et objets dessinés par Berlage et l'École d'Amsterdam.

❸ Metz & Co★★★
Keizersgracht, 455
(à l'angle de Leidsestraat)
☎ 520 70 20
Lun. 11h-18h, mar.-sam.
9h30-18h, dim. 12h-17h.

Très exclusif et très cher, ce grand magasin ne propose que du haut de gamme, des marques anglaises de préférence pour les arts de la table. Tous les meubles sont signés. Vous y trouverez ainsi un siège zig-zag rouge et bleu de Rietveld. Et sous la coupole dessinée par ce dernier, vous pourrez bruncher avec des

toasts au saumon tout en ayant une superbe vue sur Amsterdam.

❹ American café★★
Leidsekade, 97
☎ 556 30 00
Lun.-ven. 10h-23h, sam.-dim. 11h-17h,
brunch le dim. 14h-17h.

Avec ses vitraux qui diffusent une lumière dorée, ses lustres Tiffany et ses belles fresques murales, c'est le plus authentique cadre Art déco que vous puissiez trouver à Amsterdam pour boire un café, déjeuner d'un sandwich-club ou lire le journal à la grande table de lecture.

❺ A LA PLANCHA★
1ste Looiersdwarsstraat, 15
☎ 420 36 33
T. l. j. 12h-minuit.

Si l'énorme tête de taureau accrochée derrière le bar ne vous rebute pas, hissez-vous sur un des hauts tabourets pour choisir derrière la vitrine-comptoir des tapas maison ou des gambas grillées. Le tout arrosé d'un vin râpeux et de hits espagnols. La température monte les vendredis et samedis soir en même temps que le son des guitares.

❻ Antiques Thom & Lenny Nelis★★
Keizersgracht, 541
☎ 623 15 46
Mar.-sam. 11h-17h.

Spécialiste de la pharmacie et des instruments médicaux, vous trouverez ici des boîtes à pharmacie de voyage renfermant de petites fioles bien rangées qui contiennent encore des onguents

magiques. Sur les étagères s'alignent des pots et des bouteilles à pharmacie dont les étiquettes richement ornées ont été peintes directement sur le verre au XVIIIe s. ou sur des papiers collés au XIXe s.

❼ Tribal Design★★★
Nieuwe Spiegelstraat, 52
☎ 421 66 95
Lun.-sam. 11h-18h.

On pourrait passer des heures à contempler ces parures de plumes multicolores venant du Brésil, la parfaite ellipse d'un arc, la simplicité de sièges africains, la pureté des objets en os de Nouvelle-Guinée, les masques océaniens, les totems, les boucliers… Tous les arts premiers sont réunis ici.

Le quartier des musées

Point de cheveux fluo ni de vulgarité dans ce quartier résidentiel où vivent dans de grandes maisons cossues les héritiers des grands empires industriels. On s'habille italien, on mange français dans les rues Van Baerle et P. C. Hooft. L'implantation un peu anarchique des musées Van Gogh et Stedelijk est venue bousculer cet ordre bien réglé.

❶ Rijksmuseum★★★
(Musée national)
Hobbemastraat, 19
☎ 674 70 00
www.rijksmuseum.nl
T. l. j. 10h-17h
Accès payant.

Durant les travaux de rénovation (2004-2008), seule l'aile Philips avec les collections d'art asiatique est accessible au public. Autour

du Bodhisattva Manjushri et du Shiva dansant sont rassemblés des sculptures d'Indonésie, d'Inde et de Chine, des paravents japonais et de précieuses porcelaines. Les salles du 1er étage devraient accueillir quelques peintures du Siècle d'or, parmi lesquels *La Ronde de nuit* de Rembrandt, des tableaux de Vermeer et des services de Delft.

❷ Van Gogh Museum★★★
Paulus Potterstraat, 7
☎ 570 52 91
T. l. j. 10h-18h; f. 1er janv.
Accès payant.

C'est la collection la plus complète (200 tableaux,

550 esquisses et dessins) de ce peintre hors du commun qui traduisait son humeur en couleurs : sombre parmi les mangeurs de patates du Brabant, éclatante de jaune et de bleu en Provence, jusqu'aux rouges et aux noirs de son *Champ de blé aux corbeaux*.

❸ Vondelpark★★
1ᵉ Constantin Huygenstraat
T. l. j. 24h/24.

Sportifs, promeneurs et dormeurs cohabitent dans cet îlot de verdure de 45 ha. Il est vrai que les arbres majestueux, les pelouses à l'anglaise, le kiosque à musique, le théâtre de verdure et les nombreux plans d'eau avec jets d'eau forment un ensemble particulièrement agréable dans les beaux jours. Dans un pavillon du XIXᵉ s. sont

aménagés le trendy café-restaurant Vertigo et la cinémathèque Art déco. Ne manquez pas les projections en plein air et les concerts gratuits l'été.

❹ Café Welling★
J.W. Brouwersstraat, 32
☎ 662 01 55
Lun.-ven. 16h-1h, sam.-dim. 15h-1h.

Derrière le Concertgebouw, des tables investissent le trottoir dès le premier rayon de soleil. C'est la version « café brun » des jeunes branchés du quartier. Les musiciens y ont leur table attitrée.

❺ Concertgebouw★★★
Concertgebouwplein, 2-6
☎ 573 05 73
T. l. j. 10h-19h.

En 1888, Amsterdam s'offrait une nouvelle salle de concerts plantée sur pilotis au sein des nouveaux quartiers résidentiels. Derrière sa façade néoclassique se cache

un auditorium d'une exceptionnelle acoustique qui fit sa réputation. Le Concertgebouw est célèbre notamment pour son orchestre d'instruments anciens.

❼ Brasserie van Baerle★★
Van Baerlestraat, 158
☎ 679 15 32
Lun.-sam. 12h-23h, dim. 10h-23h.

Jeunes gens aux dents longues et mélomanes se croisent dans cette brasserie Art déco très classe. En été, on apprécie le jardin ombragé et les salades du chef alsacien qui renouvelle sa carte au gré des saisons avec un zeste de nouvelle cuisine. Le brunch le plus couru de la ville.

❻ HOLLANDSE MANÈGE★★
Vondelstraat, 140
☎ 618 09 42
Lun. 14h-23h, mar.-ven. 10h-22h, sam.-dim. 10h-18h.

Le lourd portail franchi, l'odeur musquée des chevaux au travail vous attend. La surprise est totale devant l'ampleur du manège doté d'une loge impériale. Recouvert d'une toiture en métal, il est inspiré de l'école espagnole d'équitation de Vienne et accueille des cavaliers depuis 1882.

Plantage, jardin botanique et appel du large

À l'écart des rumeurs de la ville, des élégantes villas et des avenues ombragées confèrent à ce quartier très vert un charme insolite. On en oublierait presque qu'on est à Amsterdam si la mer n'était aussi proche. C'est ici que les Amstellodamiens ont enfermé leurs rêves d'outre-mer dans des institutions qui parlent des peuples et des plantes des anciennes colonies de la Compagnie des Indes.

Oosterdok
Scheepvaart Museum 6
5
Prins Hendrikkade
Kattenburgerstraat
Schippergr.
KADIJKS PLEIN
Nieuwevaart
4
Entrepotdok
Valkenburgerstraat
Muiderstr.
Nieuwe Herengracht
Burcht van Berlage 1
H. Polaklaan
Entrepotdok
Plantage Parklaan
2
Hortus Botanicus
Plantage Kerklaan
Plantage Doklaan
Artis 3
Plantage Middenlaan
Plantage
Muidergracht
ALEXANDER PLEIN
7
Tropenmuseum
Mauritskade
Oosterpark

	A	B	C	D	E
1					
2					
3					
4					

❶ Burcht van Berlage★★★
(La « forteresse » de Berlage)
Henri Polaklaan, 9
☎ **624 11 66**
Mar.-ven. 11h-17h, dim. 13h-17h
Accès payant.

Siège du Syndicat des diamantaires, c'est l'une des plus belles réalisations de Berlage qui le conçut en 1900 dans un esprit « socialisant ». La sévérité de la façade, symbole de la force ouvrière, contraste avec la lumière qui baigne l'intérieur et qui devient de plus en plus intense au fur et à mesure que l'on progresse dans la cage d'escalier jaune, éclairée par une cascade de lampes taillées à facettes.

❷ Hortus Botanicus★★
Plantage Middenlaan, 2A
☎ **625 90 21**
Lun.-ven. 9h-17h, sam. et dim. 11h-17h; f. 1er jan. et 25 déc.
Accès payant.

C'est à l'initiative de la VOC qu'on doit en 1682 la création

d'un jardin d'herbes médicinales où l'on tentera peu à peu d'acclimater les plantes exotiques, comme le café et les épices ramenés des colonies. Une orangerie, une palmeraie avec un cycas vieux de quatre siècles et des serres conditionnées à différents climats sont les musts de ce jardin.

❸ Artis★★
Plantage Kerklaan,
☎ 523 34 00
T. l. j. 9h-17h
Accès payant.

Le plus grand jardin de la ville abrite le zoo où évoluent entre autres des fauves, des flamants, des ours polaires et des otaries. Il y a aussi un pavillon pour les reptiles, une volière avec des aras et des perroquets multicolores, et un aquarium à différents bassins d'eau douce et d'eau salée contenant au total 500 espèces de poissons et d'animaux marins : le Grand Bleu en plus petit…

❹ Entrepotdok★
Entrée sur la Kadijksplein.

Après avoir passé la porte monumentale de l'Entrepotdok, et vous être dirigé vers le fond de la cour à gauche, vous découvrirez le long du canal l'étonnant

alignement des 84 entrepôts portant chacun, par ordre alphabétique, le nom d'une ville où la Compagnie des Indes orientales avait des comptoirs. Transformés en appartements et bureaux, ils abritent aussi des restaurants comme le Saudade où l'on mange… portugais.

❺ À BORD D'UN TROIS-MÂTS DE LA VOC★★

Amarré devant le musée de la Marine, l'Amsterdam, construit en 1990, est une reproduction fidèle d'un trois-mâts de la Compagnie des Indes orientales (VOC) du XVIIIᵉ s. En montant à bord, vous vous rendrez mieux compte de l'exploit physique et humain qui consistait pour un équipage de 300 personnes à vivre pendant des mois, voire des années dans un espace aussi confiné, à la merci des éléments et du scorbut. Petites natures s'abstenir.

❻ Scheepvaart Museum★★★
(Musée de la Marine)
Kattenburgplein, 1
☎ 523 22 22
Mar.-dim. 10h-17h,
de juin à sept. également
ouv. le lun.
Accès payant.

Dans cet ancien arsenal de l'amirauté, vous revivrez les extraordinaires aventures de ces audacieux marins qui s'aventurèrent sur les sept mers. Sur trois niveaux, maquettes, cartes marines et instruments de navigation retracent l'histoire maritime des Pays-Bas. La chaloupe royale dorée à la feuille, construite en 1816 pour le roi Guillaume III, est le clou de l'exposition.

❼ Tropenmuseum★★
(Musée des Tropiques)
Linnaeusstraat, 2
☎ 568 82 15
T. l. j. 10h-17h
Accès payant.

Sous la coupole de verre de ce très bel immeuble colonial, vous pourrez traverser en moins d'une heure la moitié de la planète. Vous serez ainsi tour à tour plongé dans la cacophonie de Bombay, l'animation d'un souk arabe ou d'un village africain. Vous pourrez en outre vous familiariser avec les musiques du monde.

Autour de Centraal Station, les vestiges d'une ville portuaire

Bien que construite sur une île artificielle, la gare centrale tourne résolument le dos à la mer. Si vous vous écartez du flot de vélos, trams et piétons qui montent vers le Dam, vous découvrirez quand même des îles couvertes d'entrepôts où viennent s'amarrer de vieux gréements.

❶ Centraal Station★★

Solidement ancré dans la mer au moyen de 8 687 pilotis, cet édifice de 300 m de façade était en 1869 un véritable défi relevé par P. J. H. Cuypers, l'architecte qui dessina aussi les plans du Rijksmuseum. C'est à l'intérieur, sur le quai 2, que vous découvrirez son jardin secret, le salon royal, et un restaurant Belle Époque, le Eerste Klas.

❷ Pier 10★★

De Ruijterkade-Steiger, 10
☎ 624 82 76
T. l. j. à partir de 18h30.

Traversez la gare centrale et découvrez, comme posée sur l'eau, une ancienne petite maison des douanes, isolée au bout du quai maritime n°10. Il est indispensable de réserver une table dans la rotonde et de s'y rendre avant la nuit tombée pour bénéficier de la vue sur le port et l'Ij. L'ambiance est conviviale et les plats copieux.

❸ New Deli★

Haarlemmerstraat, 73
☎ 626 27 55
T. l. j. 10h-19h (21h en été).

Chromes et couleurs primaires, c'est dans ce cadre ultraminimaliste et design que se retrouvent tous les jeunes « branchés mode » pour faire une pause avec un véritable espresso italien, des *focaccie*,

7 PRINSENEILAND★

Loin des quartiers chic du Siècle d'or, cette île reliée à la terre ferme par d'élégants ponts-levis était couverte d'entrepôts, de corderies et de fabriques de goudron. D'abord investie par les squatters, elle est maintenant un endroit très recherché, les entrepôts ayant été convertis en appartements luxueux.

des soupes, des salades ou des petits pains hollandais.
C'est simple et bon.

4 Interpolm
Amsterdam
Prins Hendrikkade, 11
☎ 627 77 50
Lun. 13h-18h, mar.-ven.
10h-18h, sam. 10h-17h,
f. dim.

Voulez-vous tout savoir sur le *KC 33*, le *Swiss XT* ou le *California Skunk* ? Non, il ne s'agit pas d'ordinateurs mais de graines de marijuana sélectionnées pour être cultivées

à domicile. Outre des informations complètes et des conseils, on vend ici tout le matériel pour la culture de cette plante un peu particulière (et, rappelons-le, tout à fait illégal en France).

5 La Maison
espagnole★
(De Spaanse Gevel)
Sis au n° 2 du Singel, canal qui ceinturait la ville médiévale, ce café a une belle façade datée de 1650 avec pignon à redans et blason figurant une brouette.
C'est d'ici que partait la malle-poste pour La Haye et qu'accostaient les grands bateaux de marchandises qui avaient franchi l'écluse.

6 Café
« int Aepjen »★★★
Zeedijk, 1
☎ 626 84 01
T. l. j. 15h-1h,
sam. 15h-3h.

Il ne reste plus que deux maisons en bois à Amsterdam,

et l'une d'elles abrite ce café.
Construite en 1521, la façade est encore d'origine et le décor intérieur est tout aussi somptueux, composé de tableaux, lambris, sculptures des XVIIe et XVIIIe s. et de ces bouteilles de liqueur anciennes aux belles étiquettes peintes.

8 West
Indischehuis★
Haarlemmerstraat, 75.

Ancien siège de la réputée Compagnie des Indes occidentales (WIC), à ne pas confondre avec sa rivale la VOC (compagnie des Indes orientales), cette maison à la jolie façade sert de nos jours de salle municipale et d'université populaire. Au centre de la cour intérieure trône une statue de Peter Stuyvesant, gouverneur de la Nouvelle-Amsterdam.

De Pijp, les quartiers sud

A msterdam a aussi son quartier d'immigrés. Turcs, Marocains, Surinamais et Moluquois sont les principaux résidents de ce quartier sis au sud de la ville du Siècle d'or. Mais à la différence des étrangers d'autres capitales européennes, ils cohabitent pacifiquement avec de jeunes couples hollandais attirés par les petits loyers des logements sociaux.

Les plus réussis sont sans conteste les complexes dessinés dans les années 1920 par les architectes de l'École d'Amsterdam. Mais ailleurs, rues étroites et maisons serrées ont valu à ce quartier le nom peu flatteur de tuyau (*pijp*).

❶ Heineken Experience★★

Stadhouderskade, 78
à l'angle de F. Bolstraat
☎ 523 96 66
www.heinekenexperience.com
Mar.-dim. 10h-18h,
f. 25 déc. et 1ᵉʳ janv.
Accès payant.

La plus célèbre des brasseries hollandaises a déménagé ses cuves dans une usine plus moderne, mais l'ancien édifice a été converti en musée de la Bière. Il vient d'être rénové et s'est mis au goût du jour en vous faisant découvrir toute l'histoire de la bière et de la maison Heineken de

façon interactive, à l'aide d'Internet… une dégustation est aussi au programme.

❷ Albert Cuypmarkt★

Albert Cuypstraat
Lun.-sam. 10h-16h30.

C'est depuis 1905 le plus fréquenté, le plus populaire et le plus cosmopolite des marchés de la ville. Ses quelque trois cents éventaires proposent sur 2 km et aux prix les plus bas des vêtements et du tissu au mètre, aussi bien que du poisson, du fromage, des fleurs, des fruits et des légumes.

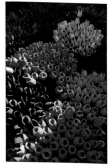

❸ De taart van m'n tante★

Ferdinand Bolstraat, 10
☎ 776 46 00
Mar.-sam. 10h-18h, dim. 12h-18h.

Vous avez toujours rêvé de manger une pièce montée rose bonbon ou gâteau en forme de coccinelle ? Pas de problème, il suffit de commander votre gâteau quinze jours à l'avance via le site Internet et de venir avec vos amis pour le manger sur place. On peut aussi simplement y prendre le petit déjeuner, déguster les tartes salées, craquer pour des tartes aux fruits et des gâteaux au chocolat et célébrer le *high tea* dominical. À l'étage, les cinq chambres du B&B sont meublées comme le salon de thé, avec une débauche de rose, de kitsch et de meubles de récup.

❹ De Peperbol★

Albert Cuypstraat, 150
☎ 673 75 19
Lun.-sam. 8h30-17h.

Ce magasin de thés, épices et bonbons s'est peu à peu métamorphosé en marché oriental dont il est difficile de sortir les mains vides. Mortiers de toutes les tailles, ustensiles de cuisine les plus divers et les plus inattendus, ravissants pots à épices, collection complète d'huiles essentielles, théières du monde, carillons en bambou… bref, tout ce que vous cherchiez en vain depuis des années.
Et n'oubliez pas de goûter à quelques-unes des deux cent douze variétés de *snoepjes* (bonbons) !

❺ Dageraad★★★

P. L. Takstraat.

En 1921, une coopérative immobilière socialiste demandait à deux architectes, M. de Klerk et P. L. Kramer, de dresser les plans de 350 logements ouvriers. Les deux bâtiments d'angle de la P. L. Takstraat résument le credo de l'École d'Amsterdam qui régit tout cet ensemble en brique : rigueur, verticalité, chromatisme, afin que le beau soit aussi utile.

> « Amsterdam, turque, chrétienne, païenne, juive. Réservoir de sectes et creuset de schismes, Cette banque de la conscience où, même étrange, toute opinion trouve crédit et valeur. »
>
> Marwell.

❻ Coöperatiehof★

Entrée par la Talmastraat.

Fidèle à la tradition du *hof* hollandais, sorte de cour encadrée d'habitations pour les nécessiteux, cet ensemble symétrique est dominé non par une église mais par le clocher de la bibliothèque publique. Sur la façade, les livres et la clé sont le symbole de l'émancipation ouvrière par le savoir.

❼ Eigenhaard★★

Smaragdplein.

Il s'agit d'une autre réalisation remarquable de l'École d'Amsterdam réalisée pour le compte de la coopérative *Eigenhaard* (le Foyer) à partir de 1917. L'école et les logements sociaux sont toujours conçus en fonction d'une rigoureuse symétrie adoucie par les tons fauves de la brique utilisée de manière fantaisiste.

Séjourner mode d'emploi

Vu la faible étendue de la ville, le choix d'un hôtel à Amsterdam se fera en fonction de deux critères : le prix et la localisation. Évitez les hôtels aux abords de la gare centrale et du quartier rouge en raison du bruit et de la faune qui y traîne. Ces deux quartiers exceptés, tous les hôtels sont facilement accessibles en tram ou en taxi, voire à pied si vous n'êtes pas chargé.

HÔTELS

Les hôtels de luxe pratiquent des tarifs intéressants le week-end, en particulier si vous réservez via une agence de voyages, mais vous risquez alors d'avoir les chambres les moins agréables. Il existe aussi de nombreux hôtels très calmes et accueillants à proximité du Vondelpark. Les prix s'entendent généralement avec le petit déjeuner (très copieux) inclus. Les prix de basse saison sont appliqués de novembre à fin avril, mais aussi en juillet et août.

Il n'est pas d'usage de laisser un pourboire, exception faite des hôtels de luxe où vous l'adresserez à la femme de chambre et au chasseur.

Les hôtels d'Amsterdam répondent aux normes de classification internationale. Mais si le choix est très vaste, il faut savoir que le nombre d'étoiles répond à des critères objectifs d'équipement comme la présence d'un

RÉSERVER UN HÔTEL

Aujourd'hui, mieux vaut anticiper pour réserver un hôtel à Amsterdam. Le plus simple est de passer par l'Amsterdam Reservation Center ☎ 00 31 (0)900 400 40 40. Ce service, ouvert du lundi au vendredi de 9h à 17h, centralise toutes les demandes. Il est également possible d'effectuer sa réservation par mail : reservations@amsterdamtourist.nl Pour les réservations de dernière minute, contactez aussi le GWK : ☎ 00 31 (0)900 05 66.

ascenseur ou d'une télévision dans la chambre. Il existe ainsi, dans les catégories 2 et 3 étoiles, d'excellents hôtels de charme aménagés dans des maisons patriciennes où les patrons vous réserveront un accueil plus chaleureux. Ce sont ces hôtels que nous conseillons plus volontiers.

Au printemps (en avril et mai surtout) et en septembre, il est préférable de réserver plusieurs semaines à l'avance, a fortiori si vous avez choisi un petit hôtel de charme avec vue sur le canal. Pour réserver, il suffit de donner, par téléphone ou par fax, vos coordonnées et votre numéro de carte bancaire. Les virements postaux ou les eurochèques sont également acceptés comme acompte. Le prix d'une nuit d'hôtel sera retenu si vous n'honorez pas la réservation.

RESTAURANTS

On le sait, la cuisine hollandaise n'est pas des plus réputées. Rustique et sans prétention, vous la goûterez en commandant le plat du jour proposé par un *eetcafé*. À cette occasion on vous servira sans doute du *stoemp*, purée de pommes de terre et de légumes ou un *hutspot*, ragoût de viande aux légumes. La soupe aux pois et lardons et le hareng cru ou mariné sont d'autres spécialités à ne pas manquer. Les restaurants affichant le logo *Neerlands Dis* servent de la cuisine traditionnelle. Un séjour à Amsterdam sera surtout l'occasion de découvrir les multiples saveurs de la cuisine indonésienne autour d'un *rijsttafel*. Les cartes de nombreux restaurants sont plutôt françaises ou italiennes, voire les deux à la fois. Si les autres cuisines vous tentent,

SE REPÉRER

Nous avons indiqué à côté de chacune des adresses des chapitres Séjourner, Shopping et Sortir leur localisation sur le plan situé à la fin de ce guide.

vous trouverez d'excellents restaurants thaïs, chinois, japonais, espagnols… C'est donc le cadre et surtout le fait d'être à la mode qui modulent le prix des repas beaucoup plus que la qualité de la cuisine. Trois restaurants ont cependant été distingués par un guide gastronomique : La Rive, Christophe et Sichuan Food. Notre sélection est donc plutôt le reflet du rapport qualité-prix. Les sorties au restaurant restent exceptionnelles pour les Hollandais, toujours soucieux de faire des économies. Réservés aux hommes d'affaires et aux touristes, les restaurants affichent généralement des prix assez élevés, surtout si on mange à la carte. Raison pour laquelle la grande majorité des restaurants proposent des menus de 3 à 5 plats à des prix avantageux. À quelques exceptions près, vous pourrez régler votre addition avec une carte de crédit.

Les prix s'entendent avec le service de 15 % inclus. Aussi

LA GUERRE DU TABAC N'AURA PAS LIEU

Il n'existe pas encore de loi antitabac aux Pays-Bas, ce qui signifie qu'il n'existe nulle part des restaurants et des cafés avec des zones non-fumeurs.

les Hollandais laissent-ils peu de pourboire, arrondissant éventuellement l'addition. Au restaurant, le pourboire ne doit pas excéder 5 €.

Enfin, pour ne pas vous retrouver le ventre vide, sachez que les Hollandais dînent tôt. Les restaurants sont ouverts à partir de 18h et la cuisine ferme le plus souvent à 22h. Seuls quelques-uns autour du Concertgebouw, de la Leidseplein et de la Rembrandtplein restent ouverts jusqu'à minuit. Passez un coup de fil pour réserver si vous voulez être sûr de ne pas vous rabattre sur un Mac Do.

HÔTELS

Autour du Dam

Winston★★

Warmoestraat, 129 (G5)
☎ 623 13 80
☏ 639 23 08
www.winston.nl

Situé entre la Bourse et le Dam, ce tout nouvel hôtel branché accueille une clientèle de 25-40 ans. La plupart des 67 chambres sont décorées par des artistes hollandais. En réservant, précisez si vous désirez une chambre avec œuvre d'art et douche (supplément de 12 € par rapport à la chambre simple avec douche sur le palier). Les nightclubbers se retrouvent au bar et à la discothèque Next door.

Autour de Rembrandtplein

Seven Bridges★★★

Reguliersgracht, 31 (F6)
☎ 623 13 29.

Au bord du plus beau canal, un petit hôtel de 8 chambres décorées par un propriétaire chineur dont les goûts vont du style Empire à l'Art déco. Grands bouquets de fleurs, tapis persans et petit déjeuner copieux servi au lit. Vue sur jardin ou sur canal, mais escalier raide pour accéder aux étages. La chambre 5 est somptueuse. Une bonne adresse à réserver au moins trois semaines à l'avance au printemps et en été !

Seven one Seven★★★★

Prinsengracht, 717 (C3)
☎ 427 07 17
☏ 423 07 17
www.717hotel.nl

La cour fleurie de l'hôtel Pulitzer.

Offrez vous un week-end de rêve dans une suite luxueuse de cette vaste demeure patricienne du XIXe s. située en bordure du canal des Princes. L'atmosphère intimiste ainsi que la décoration raffinée et différente dans chacune des 8 chambres et suites séduiront ceux qui veulent goûter à l'art de vivre des riches Amstellodamiens. Petit déjeuner servi dans la chambre ou dans les deux patios fleuris.

Prinsenhof★

Prinsengracht, 810 (C3)
☎ 623 17 72
☏ 638 33 68
www.hotelprinsenhof.com

Près de la Frederiksplein et des cafés sympas de l'Utrechtsestraat, un petit hôtel de 11 chambres décoré avec goût qui conviendra aux petits budgets et à ceux qui ne redoutent pas les escaliers raides. Réservez longtemps à l'avance si vous voulez l'une des trois chambres avec douche. Supplément de 5 % pour les cartes de crédit.

Le Jordaan

Pulitzer★★★★★

Prinsengracht, 315-331 (B2)
☎ 523 52 35
☏ 627 67 53.

Vue sur canal ou sur jardin intérieur dans cet hôtel original qui occupe un pâté de vingt-sept demeures bourgeoises entre le Prinsengracht et le Keizersgracht. Fréquenté principalement par des congressistes et des hommes d'affaires, il est très bien situé. Nouvelle cuisine à petits prix au Café Pulitzer ou au restaurant gastronomique De Goudsbloem dans une ancienne pharmacie. Le chic du chic : y arriver en bateau.

Canal House★★★

Keizersgracht, 148 (B2)
☎ 622 51 82
ℱ 624 13 17.

Le plus réussi des petits hôtels de charme. Atmosphère intimiste du Siècle d'or dans une belle maison bourgeoise en bordure du Jordaan. Lustres de cristal, bouquets de fleurs fraîches, mobilier d'époque et antiquités. Réserver deux mois à l'avance.

Toren★★★★

Keizersgracht, 164 (B2)
☎ 622 63 52
ℱ 626 97 05.

Sur l'un des plus beaux canaux, il est confortable et d'accueil agréable. Demandez les chambres avec vue sur canal ou la petite maison dans le jardin, style Laura Ashley (chambre 111). Offres spéciales pour un séjour de trois nuits durant la saison hivernale. Bar de caractère avec boiseries anciennes.

Blakes★★★★★

Keizersgracht, 384 (B3)
☎ 530 20 10
ℱ 530 20 30
www.blakesamsterdam.com

Le dernier-né des hôtels de charme d'Amsterdam est une création de la designer londo-nienne Anouska Hempel. Le mariage très réussi d'une décoration très contemporaine et d'un lieu chargé de trois siècles d'histoire se traduit par une atmosphère colorée différente dans les 41 chambres et suites. Une excellente table, un jardin secret, un bateau privé, des vélos à disposition de la clientèle sont quelques-uns des nombreux atouts de cet endroit magique et exclusif.

Acacia★

Lindengracht, 251 (B1)
☎ 622 14 60
ℱ 638 07 48
www.hotelacacia.nl

Un jeune couple tient ce petit hôtel de 14 chambres à l'atmo-sphère très hollandaise. Salle de bains dans toutes les chambres et petit déjeuner copieux inclus. Et pour changer, essayez une chambre dans l'une des deux maisons flottantes sur le canal voisin. Réservation indispensable car très fréquenté. Ajouter 5 % à la note pour le paiement par carte de crédit.

Autour de Leidseplein

Crowne Plaza Amsterdam-American★★★★

Leidsekade, 97 (B3)
☎ 556 30 00
ℱ 556 30 01
www.winston.nl

C'est l'un des temples de l'Art nouveau début de siècle, où Mata Hari a consommé son huitième mariage. Si les chambres pastel aux grandes salles de bains ont perdu leur décoration d'origine, le célèbre café américain Art déco reste LE rendez-vous de l'intel-lingentsia amstellodamienne. Terrasses sur la Leidseplein et au dernier étage, *fitness center* et parking de 8 places.

Herengracht

Ambassade★★★

Herengracht, 341 (B3)
☎ 555 02 22
ℱ 555 02 77
www.ambassade-hotel.nl

Le préféré de Michel Tournier et d'Umberto Eco et le plus luxueux

L'hôtel Ambassade au bord de l'Herengracht.

des hôtels de charme, admirablement situé dans huit maisons du Siècle d'or. Mobilier d'époque et mise en scène particulière dans les parties communes. Chambres mansardées au dernier étage ou vastes chambres donnant sur le canal, tellement calmes qu'on y entend les canards. Service de restauration 24h/24.

Keizershof★

Keizersgracht, 618 (B3)
☎ 622 28 55
🆓 624 84 12.

Une authentique bâtisse du XVIIᵉ s. où Mme de Vries vous reçoit comme chez elle dans une atmosphère typiquement hollandaise. Six chambres agréables avec du mobilier d'époque et du linge de maison à l'ancienne. Jardin fleuri où l'on sert le petit déjeuner quand il fait beau, et salon avec piano.

Plantage

Amstel Inter-Continental★★★★★

Prof. Tulpplein, 1 (C4)
☎ 622 60 60
🆓 622 58 08
www.intercontinental.com

Ce palace de 1867, restauré à grands frais, offre un service personnalisé à sa clientèle huppée. Meubles précieux, draps de soie, carafes de cristal dans le minibar et salle de bains de star

sont les quelques surprises qu'on trouve dans les 79 chambres. Parking gardé, piscine chauffée, sauna, bain turc, service de limousines et restaurant gastronomique La Rive avec une terrasse sur l'Amstel.

Autour de Centraal Station

A-Train Hotel★★

Prins Hendrikkade, 23 (C1-2)
☎ 624 19 42
🆓 622 77 59
www.atrainhotel.com

À deux pas de la gare, une halte façon Orient-Express dans cette maison du XVIIᵉ s. entièrement rénovée en 2003. Les 34 chambres sont petites mais très agréables et dotées de toutes les facilités d'un grand hôtel. Une mention spéciale pour la suite Old dutch avec petite cour privée et pour l'appartement idéal pour un couple avec enfants. Petit déjeuner copieux et ascenseur.

Rokin

De L'Europe★★★★★

Nieuwe Doelenstraat, 2-8 (F6)
☎ 531 17 77
🆓 531 17 78
www.leurope.com

Très bien situé au cœur d'Amsterdam, ce palace inauguré

en 1896 vient de fêter son centenaire. Fréquenté par Elizabeth Taylor et autres célébrités américaines, il allie raffinement et service personnalisé. Il dispose d'un excellent restaurant, l'Excelsior, d'une vaste terrasse sur l'eau, d'un centre de fitness, avec une petite piscine hollywoodienne, et d'un parking privé. Demander une chambre avec balcon sur l'Amstel.

Agora★★

Singel, 462 (F6)
☎ 627 22 00
🆓 627 22 02
www.HotelAgora.com

Près du marché aux fleurs ce petit hôtel agréable géré par un couple compte 16 chambres décorées dans le style Art déco et dotées de salles de bains modernes. Vous aurez le choix entre les chambres de deux à quatre personnes avec vue sur le canal (un peu plus chères) et celles plus calmes situées à l'arrière. Bon accueil !

Le quartier des musées

Villa Borgmann★★★

Koningslaan, 48 (A4)
☎ 673 52 52
🆓 676 25 80.

Dans le quartier résidentiel qui borde le Vondelpark, un petit hôtel paisible qui compte 15 chambres avec douche, les plus agréables donnant sur le parc. Mobilier en rotin et tons pastel. Bon accueil et possibilités de se garer dans les environs.

Bilderberg Hotel Jan Luyken★★★★

Jan Luykenstraat, 58 (B4)
☎ 573 07 30
📠 676 38 41
www.janluyken.nl

Dans une rue tranquille proche du Vondelpark, des salles de spectacle et des musées, ce sont trois maisons patriciennes du XIXe s. qui ont été transformées en hôtel par la famille van Schaik. Ambiance feutrée, mobilier classique, décoration Art nouveau et accueil chaleureux pour un prix abordable. Possibilités de parking payant dans la rue.

De Filosoof★★★

Anna Vondelstraat, 6 (A4)
☎ 683 30 13
📠 685 37 50
www.hotelfilosoof.nl

Près du Vondelpark et du musée du Cinéma, un hôtel pas comme les autres, puisqu'ici c'est la philosophie qui a inspiré la déco des 25 chambres. Kant, Goethe, Marx, Dante et autres maîtres japonais veillent sur votre sommeil sans pour autant que le confort soit spartiate, bien au contraire. Le petit déjeuner est servi au jardin quand il fait beau. Une adresse de qualité.

Toro★★★★

Koningslaan, 64 (A4)
☎ 673 72 23
📠 675 00 31
www.ams.nl

Situé à 10 min du centre, en bordure du Vondelpark, c'est une ancienne maison patricienne qui compte 22 chambres confortables et délicieusement calmes. Salon du petit déjeuner ouvert sur le jardin, terrasse, meubles anciens, tapis d'Orient, accueil chaleureux. Nombreuses facilités de parking dans les environs. Excellent rapport qualité/prix.

L'hôtel Toro, sous les frondaisons du Vondelpark.

RESTAURANTS

Autour du Béguinage

Kantjil & De Tijger★★

Spuistraat, 291-293 (F5)
☎ 620 09 94
T. l. j. à partir de 16h30.

Un des restaurants indonésiens très en vogue malgré le cadre quelconque. Outre l'inévitable *rijsttafel* très copieux, l'on y mange de nombreuses spécialités javanaises.

Haesje Claes★★

Spuistraat, 275 (F5)
☎ 624 99 98
T. l. j. 12h-minuit.

Abordant l'enseigne du *Neerlands Dis* qui caractérise les restaurants typiquement hollandais, vous y trouverez une ambiance conviviale et une cuisine simple. Spécialité de la maison, le *hollandse visbord*, assortiment de harengs, maquereaux, crevettes et anguilles fumées.

Le quartier rouge

Hemelse Modder★★

Oude Waal, 11 (G5-6)
☎ 624 32 03
T. l. j. sf lun. 18h-22h.

Sur un canal tranquille et dans un décor simple, plats indiens, italiens, français ou végétariens, tendance nouvelle cuisine. Menu du jour de trois plats à 26 €. Aux fourneaux, d'anciens squatters sachant bien cuisiner. Réservation indispensable car très fréquenté.

Wellcome★

Zeedijk, 57 (G5)
☎ 638 62 34
T. l. j. 12h30-23h.

Le meilleur restaurant chinois du quartier, spécialisé dans les produits de la mer très frais. Cadre agréable et surprises du chef comme les huîtres grillées et les coquilles Saint-Jacques à l'étouffée.

Le Jordaan

Bordewijk★★★

Noordermarkt, 7 (B1)
☎ 624 38 99
T. l. j. sf lun. 19h-22h30.

Dans un décor high-tech et sur fond musical, une très bonne cuisine variant selon les arrivages du marché, spécialités de poisson et de gibier ; la cave est réputée. Réservation indispensable pour ce lieu très couru.

Toscanini★★

Lindengracht, 75 (B1)
☎ 623 28 13
T. l. j. sf dim. à partir de 18h, réservation conseillée.

C'est une femme qui se trouve derrière les fourneaux dans ce très beau cadre né de la transformation d'une ancienne usine. Plats gourmands à petits prix, produits frais, carte de vins intéressante et ambiance très conviviale.

Tempo Doeloe★★★
Utrechtsestraat, 75 (C3)
☎ 625 67 18
T. l. j. sf dim. 18h-23h30.

Surtout, goûtez la crevette géante grillée, accompagnée d'une sauce coco-curry : c'est le plat préféré de la maison. Dans la carte, qui propose des menus à partir de 27 €, le degré d'épice dans les plats est indiqué, et l'on vous donnera des conseils pour déguster les plus relevés.

Segugio★★★
Utrechtsestraat, 96 (C3)
☎ 330 15 03
T. l. j. sf dim. 18h-23h,
réservation conseillée.

Un cadre très épuré pour déguster une cuisine italienne raffinée qui mélange les saveurs des Abruzzes et de la Vénétie. La carte renouvelée six fois par an, qui propose des plats de risotto et pâtes peu conventionnels, excelle dans les poissons et les viandes goûteuses tandis que les gros mangeurs opteront pour le menu du chef à cinq plats (48,50 €). Le service parfait attire une clientèle strictement amstellodamienne assez huppée qui apprécie particulièrement les desserts maison et les excellents vins sélectionnés parmi les meilleurs producteurs italiens.

Long Pura★★★
Rozengracht, 46-48 (B2)
☎ 623 89 50
T. l. j. 18h-23h.

Un décor sublime d'étoffes chamarrées où glissent les acteurs-serveurs. On y sert une authentique cuisine balinaise très raffinée, du Makanan Nusantara au canard farci aux épices indonésiennes.

Rokin

Mappa★
Nes, 59 (F6)
☎ 528 91 70
T. l. j. 18h-22h30, ven.-sam. jusqu'à 1h.

Cette ancienne fabrique de cigares dans le quartier des théâtres expérimentaux se prête parfaitement à une restauration italienne sans prétention à base de pâtes faites maison (de 9 à 14 €). C'est l'un des rares restaurants ouvert tard où se presse une faune assez jeune et branchée. Décor blanc, musique noire et convivialité assurée, en particulier le week-end.

Autour de Rembrandtplein

Sichuan Food★★★★
Reguliersdwarsstraat, 35 (F6)
☎ 626 93 27
T. l. j. 17h30-2h.

Une authentique cuisine chinoise étoilée par les guides gastronomiques à goûter absolument, en particulier les spécialités du Sichuan, souvent pimentées. Demandez au patron de composer le menu, mais attention à l'addition… salée !

Le Pêcheur★★

Regulierdwarsstraat, 32 (F6)
☎ 624 31 21
Lun.-ven. 12h-14h30 et 18h-22h30, sam. dîner seulement.

Un beau choix de poissons, coquillages et crustacés cuisinés à l'italienne dans une ancienne remise. Petite restauration de sashimis, caviar, huîtres et homards servis jusqu'à 1h du matin. En été, on mange au jardin.

Breitner★★★

Amstel 212 (G6)
☎ 627 78 79
T l. j. sf dim. 18h-22h30.

Situé face au Muziektheater, ce restaurant très classe sur l'Amstel accueille surtout une clientèle qui vient dîner avant le spectacle. Le jeune chef Remco Tensen s'inspire de la cuisine française classique (foie gras, langoustines) pour composer une carte saisonnière. Deux menus à 34 et 43 € et une belle carte de vins avec étiquettes françaises, italiennes et espagnoles séduisent les Hollandais aisés et les hommes d'affaires.

Sushi bar★★

Amstel, 20 (F6)
☎ 330 68 82
T. l. j. 12h-23h.

Un snack-bar japonais nouvelle tendance. Assis au comptoir, vous choisissez les plats qui défilent sur un tapis roulant. La couleur de l'assiette définit le prix des sushis, sashimis, *gyoza*, *temaki* et *miso*. À vous de composer votre menu chaud ou froid au gré de votre appétit. Les produits sont ultrafrais et la note vraiment raisonnable pour un japonais. *No smoking, please.*

Autour de Leidseplein

Prinsenkelder★★★

Prinsengracht, 438 (B3)
☎ 422 27 77
Mar.-sam. à partir de 18h.

Dans une cave à l'atmosphère intimiste, décor sobre en noir et blanc rehaussé de bois exotique et de grands bouquets de fleurs. La cuisine, franco-italienne, est copieuse et inventive, accompagnée de vins sélectionnés en France, Italie, Australie et Afrique du Sud. Une table à ne pas manquer.

Autour du Herengracht

Christophe★★★★

Leliegracht, 46 (B2)
☎ 625 08 07
Mar.-sam. à partir de 18h30.

Une cuisine du Sud-Ouest néo-classique réinventée par le chef français Jean-Christophe Royer dans un cadre très original dû au décorateur hollandais Paul van den Berg. Belle carte de vins.

Dining Eleven★★★

Reestraat, 11 (B2)
☎ 620 79 68
T. l. j. sf mar. 18h-22h.

Tons rouge, blanc, bleu et une unique table pour les convives. Cadre minimaliste pour une nouvelle cuisine française revisitée par Martin Keus, un des chefs très prometteurs qui a travaillé dans plusieurs restaurants étoilés. Son menu de quatre plats (41,50 €) est accompagné de vins internationaux catalogués par l'œnologue Liesbeth selon les critères « léger », « riche » ou « puissant ». Viande, poisson et plat végétarien sont toujours proposés sur la carte qui accompagne les saisons. Une de nos adresses préférées pour son bon rapport qualité/prix.

Le quartier des musées

Le Garage★★★

Ruysdaelstraat, 54-56 (B4)
☎ 679 71 76
Lun.-ven. 12h-14h et 18h-23h, sam.-dim. 18h-23h.

Très à la mode, ce garage transformé par l'architecte du Stopera attire une clientèle branchée. Banquettes rouges et miroirs pour grignoter le menu minceur ou goûter à quelques spécialités présumées françaises. En bref, on n'y va pas forcément pour manger. Réservation indispensable.

Sama Sebo★★
P. C. Hoofstraat, 27 (B4)
☎ 662 81 46
T. l. j. sf dim. 12h-22h.

À proximité du Rijksmuseum, des spécialités de Nasigoreng, Bamigoreng et un *rijsttafel* de vingt-trois plats à des prix raisonnables. Excellent accueil et cadre agréable.

Zabar's★★
Van Baerlestraat, 49 (B4)
☎ 679 88 88
T. l. j. sf dim. 11h-minuit, pas de déjeuner lun. et sam.

Dans un joli cadre ouvert sur un jardin décoré en trompe l'œil, cuisine méditerranéenne gourmande. Gaspacho, tajine ou carpaccio au choix avec de délicieux desserts. Clientèle mélangée mais à tendance jeune.

Manouche★★
Quellijnstraat, 104 (B4)
☎ 673 63 61
T. l. j. sf lun. 18h30-23h, réservation souhaitée.

Éclairage tamisé sous les claires-voies, senteurs de rose et de jasmin. Voici un petit restaurant simple d'une ville du Maghreb ! Les recettes des grands-mères de Tunisie, d'Algérie et du Maroc inspirent les cuisiniers qui veillent à valoriser les produits frais d'ici avec les meilleurs ingrédients de là-bas — huile d'argan, épices, truffes. Outre le couscous de poisson, spécialité de la maison, vous pourrez goûter à de nombreux plats — la carte change tous les deux jours. Desserts merveilleux, vins des coteaux de l'Atlas et accueil chaleureux à prix sympa.

Quartier sud-est

De Kas★★★
Kamerlingh Onneslaan, 3 (E4)
☎ 462 45 62
Lun.-ven. 12h-14h, sam.-dim. 18h30-22h.

Du potager à l'assiette… un rêve devenu réalité pour Gert Jan Hageman, chef de ce nouveau restaurant dans le parc Frankendael. Produits bio pour une « cuisine organique » servie dans le cadre exceptionnel d'anciennes serres municipales de 1926 où l'on déjeune à la lumière naturelle en plein hiver et où l'on profite de la douce chaleur des nuits estivales. L'un des derniers lieux à la mode où se donne rendez-vous le Tout-Amsterdam pour manger des plats à base de légumes de saison évidemment.

Autour de Centraal Station

De Silveren Spiegel★★★
Kattengat, 4-6 (C1-2)
☎ 624 65 89
T. l. j. sf dim., 18h-22h30.

Dans une maison du XVIIᵉ s. éclairée aux chandelles, un accueil chaleureux et une cuisine très inventive de l'entrée au dessert, concoctée par un chef gourmet et amateur de bons vins français. Prix très abordables pour l'une des meilleures tables d'Amsterdam. Réservation souhaitée.

Eerste Klas★★
Stationsplein, 15 (G5)
☎ 625 01 31
T. l. j. 8h30-23h, dîner 17h-22h.

Au cœur de l'agitation de la gare, une oasis de paix vous attend. Sur le quai 2B, à côté du portail doré de la salle d'attente de la reine, le salon des quatre saisons a été transformé en brasserie où l'on sert une cuisine traditionnelle à la carte. Ambiance fin de siècle.

PETITE RESTAURATION ET SALONS DE THÉ

The Pancake Bakery

Prinsengracht, 191 (B2)
☎ 625 13 33
T. l. j. 12h-21h30.

Pour manger copieusement à prix sympas, vous aurez le choix entre quarante sortes de crêpes salées ou sucrées comme la crêpe au fromage et gingembre. Armez-vous de patience, c'est toujours bondé.

Caffe esprit

Spui, 10A (F6)
☎ 622 19 67
Lun.-sam. 10h-18h, jeu. jusqu'à 22h, dim. 12h-18h.

Attenant au magasin du même nom, le cadre est clair et ultramoderne. Des poutrelles métalliques gris pâle bordent de grandes baies vitrées qui s'ouvrent largement sur le Spui. Là se retrouvent pour un café ou un déjeuner, étudiants et hommes d'affaires.

Café Pulitzer

Prinsengracht, 315-331 (B2)
☎ 523 52 35
T. l. j. 11h-18h.

Un endroit très classe pour manger le plat du jour ou prendre le thé assorti de délicieuses tartes.

Small Talk

Van Baerlestraat, 52 (B4)
☎ 671 48 64
Lun.-ven. 10h-21h30, sam. et dim. jusqu'à 20h.

Dans le quartier chic, de très bonnes tartes maison avec une bonne sélection de thés. La terrasse est un peu bruyante.

Café mode d'emploi

Si vous consommez en terrasse, on vous demandera de régler directement. À l'intérieur des cafés bruns, le serveur note au fur et à mesure les consommations sur son calepin. Les petits coups de genièvre aidant, on risque de se retrouver avec une note plutôt salée. À bon entendeur…

CAFÉS

Café Chris

Bloemstraat, 42 (B2)
☎ 624 59 42
Lun.-jeu. 15h-1h, ven.-sam. 15h-2h, dim. 15h-21h.

Situé dans le Jordaan, près de Westerkerk, ce vieux café brun (1624) est fréquenté par les étudiants.

De Druif

Rapenburgerplein, 83 (D2)
☎ 624 45 30
T. l. j. 11h-1h.

Bien à l'écart des circuits touristiques, dans l'ancien quartier des docks, un café vrai de vrai installé dans une ancienne distillerie de genièvre.

Het Molenpad

Prinsengracht, 653 (B3)
☎ 625 96 80
T. l. j. 12h-1h.

Expos de photos et public très littéraire dans ce beau café

brun. Commandez des *bitter-ballen* (boulettes de viande) avec une bière.

De Blincker

St. Barberenstraat, 7-9 (F6)
☎ 627 19 38
Lun.-jeu. 16h-1h, ven.-sam. 16h-3h (petite restauration servie jusqu'à 21h30).

À proximité des théâtres d'avant-garde, un bar branché au beau décor high-tech avec jardin d'hiver qui ouvre en fin d'après-midi.

Luxembourg

Spui, 22-24 (F6)
☎ 620 62 64
T. l. j. 9h-1h.

Marbres, cuivres et boiseries patinées donnent le ton intimiste. Rendez-vous des yuppies et du monde de la pub après 17h, il accueille une clientèle très jeune et branchée le reste du temps.

Spanjer van Twist

Leliegracht, 60 (B2)
☎ 639 01 09
T. l. j. 10h-1h.

Sur un joli canal ombragé, on sort les tables dès le premier rayon de soleil. La clientèle est jeune et résolument non conformiste. Petite restauration toute la journée.

Finch

Noordermarkt, 5 (B1)
☎ 626 24 61
T. l. j. 11h-1h, jusqu'à 3h le sam.

Un bistrot de quartier au cadre agréable où se retrouvent les habitués pour boire un verre après le marché du samedi ou pour manger le plat du jour.

LES PROEFLOKAAL

Le *proeflokaal*, ou local de dégustation de genièvre, autrefois rattaché aux distilleries, propose une grande variété d'alcools, mais aussi des bières. Il est généralement ouvert de 11h à 20h.

De Admiraal

Herengracht, 319 (B3)
☎ 625 43 34
Lun.-ven. 16h30-23h, sam. 17h-minuit.

Cadre rustique de tonneaux empilés jusqu'à la voûte et tables en bois pour déguster les genièvres van Wees, la plus ancienne distillerie du Jordaan. On peut également y dîner à la lueur des chandelles.

De Ooievaar

Sint Olofspoort, 1 (angle Zeedijk – G5)
☎ 420 80 04
Lun.-ven. 15h-1h, sam. et dim. 13h-1h.

La maison qui abrite cette vénérable institution penche un peu parce qu'elle est très ancienne (1620), et non pas parce que vous avez bu trop de petits verres givrés remplis de *oud* très parfumé. Ce *proeflokaal* dédié à la cigogne est l'un des plus anciens et des plus sympathiques.

Het Proeflokaal

Pijlsteeg, 31 (F5-6)
☎ 639 26 95
T. l. j. 15h-21h.

Dans une ruelle derrière le Dam, l'ancienne distillerie de Wynand Fockink fondée en 1679 est rouverte. Dans une ambiance très cosy, vous pourrez déguster la production locale et d'autres marques de liqueurs et genièvre.

In de Wildeman

Kolksteeg, 3 (F5)
☎ 638 23 48
T. l. j. 12h-1h.

Près de la gare et du quartier rouge, un très bel endroit qui évoque une scène intimiste des peintres hollandais avec ses lustres en cuivre, ses lambris et son dallage noir et blanc. Vous aurez le choix entre 150 variétés de bières dont 18 bières pression.

shopping mode d'emploi

jeudi, tandis que le samedi on ferme plus tôt, à 17h.
Les magasins d'alimentation Albert Heijn restent ouverts jusqu'à 20h ou 22h pour certaines succursales.

QUEL PRIX PAYER ?

La loi oblige les commerçants à afficher le prix de chaque article et vous n'aurez pas de surprise : il y a des étiquettes partout. Seuls les brocanteurs et les antiquaires s'en dispensent. C'est donc chez eux également qu'on pratiquera un peu de marchandage, en sachant toutefois que les Hollandais sont de redoutables commerçants : en clair, ne vous attendez pas à des remises supérieures à 10 ou 15 % du prix initialement annoncé.

COMMENT PAYER ?

N'achetez que chez des marchands ayant pignon sur

OÙ FAIRE DU SHOPPING LE DIMANCHE ?

Vous trouverez des boutiques ouvertes dans le centre : Kalverstraat, Damrak, Single, Leidsestraat, ainsi qu'autour de la Noorderkerk, dans la Herenstraat en particulier. La tendance actuelle est d'ouvrir durant la saison estivale, le 1er dimanche du mois, de 12-13h à 17h, et ce un peu partout dans la ville, y compris dans le quartier commerçant autour du Rijksmuseum (antiquaires de la Nieuwe Spiegelstraat et rues Van Baerle et P.C. Hooft).

Les grands magasins (De Bonneterie, Vroom & Dreesmann, Bijenkorf, Hema…) sont également ouverts le dimanche après-midi. Enfin, sachez que plusieurs marchés ont lieu le dimanche : art contemporain, brocante, antiquités et fleurs (en été uniquement pour ce dernier).

HEURES D'OUVERTURE

Les magasins sont en général ouverts le lundi de 13h à 18h et de 9h-10h à 18h du mardi au vendredi. La majorité fait une nocturne jusqu'à 21h le

SE REPÉRER

Nous avons indiqué à côté de chacune des adresses des chapitres Séjourner, Shopping et Sortir leur localisation sur le plan situé à la fin de ce guide.

rue et ne vous fiez pas à ce qui pourrait vous sembler une bonne affaire. Si vous achetez une œuvre d'art, vous pouvez exiger un certificat d'authenticité, qui doit obligatoirement vous être fourni. Plus généralement, la facture d'achat est indispensable : elle pourra vous être demandée à la douane, elle vous sera utile si vous souhaitez revendre un jour ce que vous venez d'acheter ou si vous êtes victime d'un cambriolage, pour compléter la déclaration à votre assureur.

La grande majorité des boutiques acceptent les cartes de paiement internationales pour un achat supérieur à 22 € environ, en particulier la Visa, la MasterCard et l'Eurocard. Pour les autres, il est préférable de regarder les autocollants placés sur la porte de la boutique avant d'entrer. Les eurochèques et les chèques de voyage sont acceptés partout.

FORMALITÉS DE DOUANE

Pour les citoyens des pays membres de l'Union européenne, il n'y a plus de formalités de douane à partir du moment où vous possédez une facture faisant foi que la marchandise a été dédouanée aux Pays-Bas. Il n'existe pas de réglementation particulière pour les antiquités, à condition d'avoir un certificat d'authenticité établi par l'antiquaire, et une facture.

La possession de contrefaçon entraîne la confiscation de la marchandise et le paiement d'une amende dissuasive. De retour chez vous, vous pourriez aussi être poursuivi pour recel. Pour les non-résidents de l'Union européenne, il est possible pour les gros achats de se faire rembourser la TVA moyennant une procédure assez compliquée. Il faut dans ce cas demander au vendeur un formulaire (*certificaat*

TRANSPORTS INTERNATIONAUX

Pour vous faire expédier chez vous le canapé en bois de Malaisie ou la paire de tabourets de jardin en faïence de Delft que vous venez de chiner, vous avez le choix entre le transport aérien rapide mais coûteux et le transport routier qui prendra de 1 à 4 jours selon le prix que vous désirez mettre. Les frais d'assurance sont presque toujours inclus dans le prix du transport.

Voici quelques adresses à Amsterdam :

Büch B.V. ☎ 696 37 77.
Spécialiste du transport d'œuvres d'art. Transport par la route ou par avion.

Hendriks B.V. ☎ 587 81 23.
Transport routier pour tous types de marchandises.

Bosman ☎ 020 587 48 11.
Transport de fret aérien.

Danzas ☎ 020 316 90 00.

Danzas à Marne-la-Vallée
☎ (1) 01 64 62 31 31
🄵 (1) 01 64 62 33 00.

van uitvoer OB90) que vous devrez remplir à la frontière.

Pour plus d'informations, renseignez-vous auprès du bureau des douanes de l'aéroport de Schiphol ☎ 316 47 00.

MODE FEMME

L a mode n'est pas la préoccupation première des Amstellodamiennes, qui recherchent avant tout des vêtements solides et confortables, de préférence en fibres naturelles. Ces dernières années, des stylistes indépendants ont pourtant élaboré des créations originales, folles ou habillées, mais souvent à des prix très abordables pour des pièces uniques. Les plus jeunes oseront la couleur et les matières artificielles du prêt-à-porter hollandais.

Sky

Herengracht, 228 (B2)
☎ 320 00 81
Lun. 13h-18h, mar.-ven. 10h-18h, sam. 10h-17h.

Rubens ou Van Dijck par exemple, imprimés sur des corsages moulants et des foulards en soie sauvage… la ligne Sherebel de Lilian Konings est sagement provocante et terriblement attrayante à un prix vraiment abordable (100 € en moyenne). Pour les femmes de 30 à 45 ans, à mélanger sans hésiter avec les ensembles en cuir (Mansharey) et les élégants accessoires signés Mippies.

The people of the labyrinths

Van Baerlestraat, 42-44 (A4/B4)
☎ 664 07 79
Lun. 13h-18h, mar.-mer. et ven. 9h30-18h, jeu. 9h30-21h, sam. 9h30-17h30, dim. 12h-17h.

Geert de Rooij et Hans Demoed, stylistes formés à Arnhem, créent depuis vingt ans des vêtements hyper colorés qui font craquer aussi bien Steven Tyles du groupe Aerosmith qu'Elizabeth Taylor. Les imprimés à la main se déclinent en coton, lin, soie, cachemire ou cuir. Une collection trendy et des coupes fluides pour celles qui détestent s'habiller triste. Il y en a pour tous les goûts, tous les âges et même pour vos enfants et votre mari – Vêtements en coton et lin de 200 à 500 €, modèles en cuir de 1 100 à 1 485 €.

Timeless Collection

Prinsenstraat, 26 (B1)
☎ 638 17 60
Mar.-sam. 11h-18h, jeu. jusqu'à 21h.

Le décor est élégant tout comme les vêtements aux couleurs sobres.

La ligne Timeless privilégie les soies et les matières naturelles, laine, coton, daim, selon les saisons. Des tailleurs habillés, des robes du soir toutes simples, des maillots de bain ou encore un grand choix de chemisiers et de vestes bon chic bon genre. Rien de très affriolant, mais du sérieux, du sage et du portable, dans de belles matières. Compter de 150 à 200 € pour une veste.

De Hoed van Tijn

Nieuwe Hoogstraat, 15 (G6)
☎ 623 27 59
Lun.-ven. 11h-18h, sam. 11h-17h.

Coup de chapeau pour De Hoed van Tijn, ce passionné qui depuis vingt-cinq ans collectionne, confectionne et crée des chapeaux classiques, idéals pour assister aux courses à Ascot en compagnie de la reine d'Angleterrre ou totalement délirants tels ceux destinés au théâtre. Avec lui vous aurez un modèle unique sur mesure et selon vos desiderata (de 1 à 7 jours selon le modèle). Compter entre 90 et 250 € – et 10 € de plus pour la livraison.

Le styliste Henk Hendriks ouvre son atelier aux femmes et parfois aux hommes pour créer des modèles exclusifs sur mesure. Après réalisation d'une ébauche en coton, il vous faudra attendre deux semaines et demie avant de porter un vêtement unique dans la matière et la couleur de votre choix. Expédition partout en Europe. Compter 1 000 € pour un tailleur ou une robe en prêt à porter et 1 500 € pour du sur mesure.

Étonnez-vous en entrant dans cette boutique très spécialisée. Pour les plus timides, Demask propose de la lingerie en cuir laqué, avec des chaînes et des clous pour les extraverties. Il y a aussi des minijupes en caoutchouc, des gants longs en latex et des corsets extracorsés. Et dans l'arrière-boutique… assez d'artefacts pour réveiller le démon qui sommeille en vous, même si vous êtes complètement dépourvue d'imagination.

Hester van Eeghen
Hartenstraat, 37 (B2)
☎ 626 92 12
Lun. 13h-18h, mar.-sam. 11h-18h.

M/L Collections
Hartenstraat, 5 (B2)
☎ 620 12 16
Mar.-ven. 11h-18h, sam. 10h-17h.

Le nec plus ultra du prêt-à-porter hollandais dans un univers high-tech noir et blanc. Ici, vous ne trouverez rien de vraiment excentrique, mais plutôt des vêtements élégants et agréables à porter en fibres naturelles et aussi synthétiques. Les prix sont raisonnables et si vous êtes là pendant les soldes, vous ferez vraiment des superaffaires. Veste à 229 €, corsage à 50 €, pantalon à 160 € et jupe à 180 €.

Henk Hendriks Couture
Herengracht, 360 (B3)
☎ 620 41 96
Mar.-ven. 11h-17h30, sam. 11h-17h.

Demask
Zeedijk 64 (G5)
☎ 620 56 03
Centraal Station
Lun.-sam. 10h-19h, jeu. 21h, dim. 12h-17h.

Pas d'erreur : c'est ici qu'il faut venir pour trouver un sac à main vraiment original. Rond, carré, triangulaire, mais toujours rigolo et fonctionnel. Si le dessin est hollandais, les belles matières colorées sont italiennes, de même que la confection. Pour jouer le total look, ajoutez au sac à main, portefeuille, porte-clés, porte-carte et agenda, dans le même cuir et de la même couleur – et pourquoi pas les chaussures, en vente dans la même rue, au n° 1.

Cellarrich Connexion

Haarlemmerdijk, 98 (B1)
☎ **626 55 26**
Lun. 13h-18h, mar.-ven. 11h-18h, sam. 11h-17h.

matières synthétiques fluides, agréables à porter. Les prix sont tout à fait abordables si l'on considère le standing de cette rue très chic : pantalons à 65 €, corsages à 35 € et vestes à 99 €.

Eva Design

Utrechtsestraat, 118 (C3)
☎ **428 14 43**
Haarlemerstraat, 79 (B1)
☎ **625 69 90**
Lun. 13h-18h, mar.-sam. 11h-18h.

Les vestes amples, manteaux et ensembles sont taillés dans des étoffes somptueuses tissées à la main, mêlant des fibres naturelles de soie, laine, coton et laine.

Succès oblige ! Les quatre filles, qui avaient débuté leur activité de maroquinerie dans une cave en bordure du Prinsengracht, ont déménagé dans un espace plus grand mais toujours très minimaliste pour mettre leurs créations en valeur. Les sacs et accessoires ont cette touche amusante qui a fait leur réputation : peau véritable ou faux croco, besace en cuir tricoté ou sac de ville trapézoïdal.

Vanilia

Van Baerlestraat, 30 (A4)
☎ **679 54 49**
Lun.-sam. 9h-17h, jeu. jusqu'à 21h.

La mode des 20-30 ans dans des tons et des coupes qui décoiffent. Beaucoup de coton mais aussi des

Les motifs, issus du tramage des fils de différentes couleurs et épaisseurs, mettent la beauté des matières en évidence. Des vêtements confortables et originaux (à partir de 200 € pour une veste) à assortir avec les chapeaux tricotés main et de simples corsages en coton ou soie (env. 30 €).

Van Heek Lust for Leather

Lindengracht, 220 (B1)
☎ **627 07 78**
Sam. 12h-18h et sur r.-v. en semaine.

Joyce Van Heek dessine et produit elle-même des vêtements en cuir pour hommes et femmes. Lingerie, gilets, pantalons, jupes sages ou audacieusement délacées à l'arrière… Beaucoup de modèles et de tailles, mais également du sur mesure. Dans ce cas, faites-vous envoyer une documentation avant de vous rendre à Amsterdam. L'emploi de très belles peaux de vachette (au lieu de l'agneau habituellement utilisé) justifie les prix un peu élevés (jupe 180 € env.).

De Petsalon

Hazenstraat, 3 (B2)
☎ **624 73 85**
Mar.-sam. 11h-18h ou sur r.-v.

Dans une ville où le vélo est roi, quoi de plus normal que de trouver un magasin spécialisé en casquettes de toutes formes et matières. Le fin du fin, c'est d'assortir la selle du vélo à son couvre-chef ! On trouve aussi dans

domaine, proposent tout un assortiment de la mode érotique la plus *up to date*. Les collections Viva Maria, Undressed et Murray & Vern sont ce qui se fait de mieux dans le genre. Le grand, très grand tatouage de la jeune dame qui vous reçoit laisse déjà présager toutes les excentricités.

Analik
Hartenstraat, 36 (B2)
☎ **422 05 61**
Lun.-sam. 11h-18h.

Cette jeune femme hollandaise a créé sa propre ligne de vêtements dans le vent et a déjà défilé à Paris en octobre 2000. Les matières sont toujours agréables à porter et les formes, résolument modernes et féminines, sont adaptées à la vie actuelle.

Eva Damave
2e Laurierdwarsstraat, 51C (B2)
☎ **627 73 25**
Mer.-sam. 12h-18h.

Petits pulls extravagants, jupes et vestes en laine, coloris inédits, dessins originaux, Eva est la reine de la maille. Les plus sophistiquées aimeront particulièrement les pulls surbrodés de soie, hyper-confortables. Profitez-en, ça n'est pas hors de prix (de 70 à 90 € environ pour un pull).

ce salon très kitsch des ceintures folles et des lunettes de soleil qui donneront à votre look branché sa touche finale.

SLIM FAST AU PAYS DES TULIPES

Si, si, c'est sûr, votre voyage à Amsterdam vous fera mincir de deux tailles au moins pour les vêtements de prêt-à-porter. Si vous portez généralement du 40 en France, vous rentrerez sans forcer dans un 38 hollandais. Vous l'aurez compris il suffit d'ôter 2 à votre taille habituelle française pour obtenir la taille hollandaise correspondante. Si vous vous habillez sur mesure et que le petit ensemble que vous venez de choisir appelle quelques retouches : pas de panique, le magasin se charge de vous l'expédier.

Female & Partners
Spuistraat, 100 (F5-6)
☎ **620 91 52**
Mar.-sam. 11h-18h, jeu. jusqu'à 21h, dim. et lun. 13h-18h.

Le premier magasin de lingerie érotique pour femmes (et leurs partenaires) à Amsterdam. Esther et Ellen, pionnières dans le

MODE HOMME

Les Hollandais élégants ont choisi depuis longtemps la couture italienne, bien représentée dans les magasins chic des rues Van Baerle et P. C. Hooft. Il faut dire que la mode hollandaise masculine n'est pas très inventive, à deux exceptions près : les vêtements de sport, solides, pratiques et assez bon marché, et les vêtements en cuir dans des coupes impeccables.

Robin & Rik

Runstraat, 30 (B3)
☎ 627 89 24
Lun. 14h-18h,
mar.-sam. 11h-18h30.

Pour s'habiller de cuir de pied en cap, pantalons, vestes, débardeurs, gilets, casquettes dans des peaux différentes. Ceux qui aiment les vêtements près du corps y trouveront leur bonheur, d'autant plus que Robin et Rik font aussi du sur mesure. Pas vraiment portable si vous avez un rendez-vous d'affaires, mais effet garanti si vous sortez dans une boîte gay.

The Shirt Shop

Reguliersdwarstraat, 64 (F6)
☎ 423 20 88
T. l. j. 13h-19h.

Inutile d'entrer dans ce petit magasin pour trouver une chemise classique. Satin, velours, tissu gaufré, moiré, à pois, à carreaux… bref, des chemises pour sortir, draguer, se montrer. Les marques sont anglaises, hollandaises voire italiennes mais toujours très exclusives et trendy. Essayer sans tarder les chemises clubwear de 65 à 80 € et craquez pour un T-shirt imprimé !

Thomas Grogg

Prinsenstraat, 12 (B2)
☎ 320 16 58
Lun.-sam. 11h-18h.

Cette boutique est la seule dans toute la Hollande à présenter des vêtements suédois. Cinq créateurs se partagent l'enseigne pour une mode jeune, décontractée et élégante qui se compose de jeans, T-shirt, chemises mais aussi de vestes en cuir ou en lin plus

classiques. Il y en a vraiment pour tous les goûts et pour tous les hommes.

Dockers

Leidsestraat, 11 (B3)
☎ 638 72 92
Mar.-sam. 9h30-18h,
jeu. jusqu'à 21h, lun. et dim.
12h-18h.

Levi's a créé une nouvelle ligne de jeans, chemises, polos et vestes sous l'appelation Dockers. Des couleurs plus nombreuses, des coupes moins attendues qu'en

France et toujours le confort et la solidité qui ont fait la réputation planétaire de la marque. Les tailles sont américaines, *of course* !

Possen.com
Van Baerlestraat, 39 (A4/B4)
☎ 471 20 50
Mar.-dim. 9h-17h.

Finies les fastidieuses séances d'essayage pour avoir un costume sur mesure ! Il vous suffit de passer dans le *bodyscan* pour

enregistrer vos mensurations, choisir le modèle et le tissu dans les 7 000 échantillons proposés – parmi lesquelles des étoffes signées Zegna, Loro Piana et Cerruti – et vous voilà avec un costume ou un manteau unique ! De la classe, de la qualité, un service rapide et des prix bien inférieurs à ceux d'un tailleur traditionnel. Entrez dans le XXIᵉ s. !

Hoeden M/V
Herengracht, 422 (B3)
☎ 626 30 38
Mar.-sam. 11h-18h, jeu. jusqu'à 21h.

Envie d'un vrai panama ou d'un borsalino, d'une casquette ou d'un canotier ? Filez dans le salon de Marly Vroemen qui s'est spécialisée dans le chapeau au masculin et au féminin. Il vous en coûtera environ 90 € pour un borsalino. Et en un clin d'œil on adapte le chapeau à votre tour de tête.

Sissy-Boy
Van Baerlestraat, 12 (A4)
☎ 672 02 47
Kalverstraat, 199 (F6)
☎ 638 93 05
Lun.-sam. 10h-18h, dim. 12h-17h, jeu. jusqu'à 21h.

Voilà un excellent label hollandais pour une ligne sportive et dans le coup, destinée aux 20-30 ans. Ici, on ose la couleur. Les coupes sont plutôt sages, mais on peut aussi trouver des modèles plus amusants. Matières confortables et faciles d'entretien. Les prix sont à portée de tous : chemises de 80 à 120 €, pantalon à 90 €.

Adrian
Prinsengracht, 130A (B2)
☎ 639 03 20
Mar.-sam. 12h-18h.

Si les mesures d'encolure sont identiques en Hollande et en France, il faut pourtant carrément choisir la taille du dessous car les vêtements hollandais et allemands taillent grands. Les pantalons sont aussi beaucoup plus longs.

Si vous vous sentez l'âme d'un artiste et rêvez d'une belle chemise élégante et originale, Adrian est là ! Ses tissus, classiques ou excentriques, disponibles dans une large gamme de coloris, sont choisis en Italie et taillés à Londres. Il ne reste plus qu'à les assortir à des vestes ou des chaussures sélectionnées avec soin par… Adrian.

POUR LES ENFANTS

À Amsterdam, on a relégué depuis longtemps les layettes aux orties ! Vive la mode fantaisie, les fibres naturelles, les vêtements confortables et les accessoires assortis. Classique, sportive, un peu hippie ou carrément baba cool, vous n'avez que l'embarras du choix. Et le bonheur de vos bambins sera total si vous les emmenez dans un magasin de jouets.

Trix & Rees

Sint Antoniesbreestrat, 130 (G6)
☎ 420 25 30
Lun. 13h-18h, mar.-ven. 10h-18h, sam. 10h-17h, dim. 12h-17h.

Et pourquoi pas la mode baba cool pour les petits ? Vestes en mouton retourné, pulls en laine grossière, T-shirts en coton naturel. Bien sûr, la coupe est avant tout confortable, c'est dire que les vêtements sont amples… Les mamans *new age* y habilleront leurs bambins de 0 à 8 ans et trouveront même la version « adulte ». Compter quand même 35 € pour un T-shirt et 59 € pour une petite robe.

Oilily Store

P. C. Hooftstraat, 131-133 (A4)
☎ 672 33 61
Mar.-ven. 10h-18h, jeu. jusqu'à 21h, sam. 10h-17h, dim. 12h-17h.

Si vous êtes lassé des bleus lavande et roses pastel, Oilily est la ligne de vêtements fantaisistes et colorés qu'il vous faut. On retrouve les semis de fleurettes, cœurs, papillons ou les carreaux sur les accessoires (sacs, chaussures, chaussettes, bijoux en bois, pinces à cheveux).

Évidemment ce n'est pas donné : 39,90 € le T-shirt brodé, 34,90 € la grenouillère, 96 € la robe et de 47,90 à 99 € le petit ensemble.

De Beestenwinkel !

Staalstraat, 11 (F6/G6)
☎ 623 18 05
www.beestenwikel.nl
Mar.-ven. 10h-18h, sam. 10h-17h, dim. 12h-17h.

Dans cet extraordinaire antre du jouet qui fait l'angle de la rue, vous trouverez des joujoux en bois, des pantins et surtout des peluches adorables, réalistes ou très expressives qui feront à coup sûr craquer tous les parents et donneront des envies de câlins aux enfants. Si vous avez un cadeau de naissance à faire, une boutique irrésistible.

't Klompenhuisje

Nieuwe Hoogstraat, 9A (G6)
☎ 622 81 00
Lun.-sam. 10h-18h.

D'abord spécialisée dans les sabots pour enfants, la maison a étendu sa production à d'autres types de chaussures, que ce soit des sandales, des bottines de randonnée ou des souliers vernis. Comptez de 8,50 à 40 €, pour une paire de sabots, et de 10 à 100 € pour des sandales ou des chaussures – pointures 20 au 35. Le paradis de la chaussure enfantine en somme, installé dans un joli cadre.

Les petits Bataves étant plus grands et plus forts que les Français, vérifiez les tailles qui sont généreuses. Le seul risque étant d'acheter un peu trop grand !
De 0 à 1 ans : 56/74 cm ;
de 1 à 3 ans : 80/98 cm ;
de 3 à 8 ans : 104/176 cm.

Comment résister devant ces maisons de poupée, dont le charme et la précision nous feraient retomber en enfance ? Nous voilà soudain transformés en Gulliver : des canapés, des vases, des fleurs et des tables miniatures ont envahi cet univers de conte de fées où les adultes semblent hors d'échelle. Certains articles, fragiles et chers, sont plutôt réservés aux collectionneurs et aux amoureux des maisons de poupée.
À partir de 75 € la maison. Également un beau choix de jouets en bois et des toupies. Le paradis des enfants et des grands enfants.

De Kinderfeestwinkel
1e Van der Helststraat, 15 (B4/C4)
☎ 672 22 15
Lun. 13h-18h, mar. -sam. 10h-18h.

Teuntje
Haarlemmerdijk, 132 (B1)
☎ 625 34 32
Lun. 13h-18h, mar.-ven. 10h-18h, sam. 10h-17h.

Des marques danoises, belges et hollandaises qu'on ne trouve qu'ici et qui privilégient le coton et les matières confortables. On ose le marron, le vert foncé et le noir pour des vêtements hyper bien coupés à prix intéressants (à partir de 5,45 €).

De Speelmuis
Elandsgracht, 58 (B2-3)
☎ 638 53 42
Lun. 13h-18h, mar.-ven. 10h-18h, sam. 10h-17h.

Tout ce dont les enfants de 2 à 10 ans peuvent rêver pour faire la fête est entassé dans cette minuscule caverne d'Ali Baba. Il y a les costumes et tous les accessoires pour se déguiser en princesse, en danseuse de flamenco, en ange, en guerrier de *StarWar* ou en *Superman*, les lampions, les guirlandes de fleurs, l'assortiment d'assiettes et de verres colorés pour dresser une table rigolote, les paillettes… et bien sûr quantité d'idées de cadeaux pour les petits copains à partir de 0,25 €. Un magasin dont on ne sort pas les mains vides !

Tinker Bell
Spiegelgracht, 10 (B3)
☎ 625 88 30
Mar.-sam. 10h-18h, lun. 13h-18h.

De merveilleuses dînettes décorées de carreaux de Delft, des boîtes à musique étonnantes, des kaléidoscopes pour en voir de toutes les couleurs, des jouets mécaniques, des carrousels, mais aussi des jouets éducatifs pour en savoir plus sur notre planète. Bref, de merveilleux jouets pour petits et grands à partir de 1,5 €.

FLEURS ET JARDINS

Les Amstellodamiens entretiennent un véritable culte pour les fleurs et les plantes dont ils décorent leur intérieur, leurs balcons ou leurs petits jardins. Difficile de résister à cet engouement quand on se promène le long du marché aux fleurs, d'autant plus que les prix sont vraiment modiques et le choix considérable, notamment pour les plantes à bulbes. Le mobilier de jardin et les pots en terre cuite sont également bien tentants.

Riviera

Herenstraat, 2-6 (B2)
☎ 622 76 75
Singel, 457 (C2) /
Kalvertoren (F6)
☎ 422 83 63
Lun. 12h-18h, mar.-sam.
9h-18h, dim. 12h-17h.

En plus des plus jolies compositions florales de la ville, vous trouverez ici plein d'idées pour la décoration de votre jardin. Grands photophores (27,50 €), candélabres (65 €), bougies parfumées, fauteuils en rotin, vasques en bronze, meubles en teck, mais aussi verres en cristal gravé. Ne manquez pas les offres de fin d'été pour les tables et transats en teck ainsi que la nouvelle collection d'armoires peintes et de lustres en fer forgé et cristal.

Vivaria

Ceintuurbaan, 5 (C4)
☎ 676 46 06
Mar.-ven. 10h-18h, sam.
10h-16h, jeu. jusqu'à 20h.

Dans cette boutique étonnante vous ne trouverez que des serres d'appartement où vous pourrez facilement acclimater des fougères, des lichens, des mousses ou des orchidées sauvages qui vous rappelleront la forêt primaire d'où nous venons tous. Réalisées en verre collé, ces petites serres décoratives (de toutes les formes et de toutes les tailles) fonctionnent quasiment en autarcie, à condition de leur donner de l'eau et de la lumière. Une sorte d'aquarium sans poisson, mais avec des grenouilles tachetées de jaune, de bleu ou d'orange vif !

Jemi

Warmoesstraat, 83A (F5/G5)
☎ 625 60 34
bloemen@jemi.nl
Lun.-ven. 9h-18h.

Des fleurs tellement belles qu'on aurait envie de les manger !
Un rêve concrétisé par ce fleuriste de talent qui a concocté toute une série de plats à base de fleurs : olives en chemise de rose rouge, saumon aux tulipes à l'étouffée, salade de céleri et de pétales de roses blanches, hareng aux violettes… Un festival de couleurs et de saveurs à déguster sur réservation d'au moins huit couverts. Prévoyez votre déjeuner au moins une semaine à l'avance vu le succès rencontré par cette incomparable expérience florale.

quoi dresser les plus jolies tables au jardin : faïence anglaise fleurie, porcelaine à l'ancienne, grands plats à salade en terre cuite, verres argentés, somptueux photophores indiens, linge de maison griffé, bougies originales, boîtes kitsch et huiles parfumées. Et pour réchauffer les convives, de magnifiques plaids Missoni (230 à 330 €.) ou d'Afrique du Sud. Beaucoup d'idées de déco pour l'extérieur et l'intérieur parmi un stock qui se renouvelle constamment au fil des saisons. Un des petits jardins secrets du quartier des « 9 straatjes ».

Outras Coisas

Herenstraat, 31 (B2)
☎ 625 72 81
Lun. 12h-18h30, mar.-ven.
10h-18h30, sam. 17h30.

C'est dans cette minuscule boutique que vous trouverez de

BULBES, MODE D'EMPLOI

La vente des bulbes à planter a lieu de juin à fin décembre -- les maisons sérieuses ne vendent plus de bulbes après décembre. Si l'hiver a été rude, les premiers bulbes ne sont disponibles qu'à la fin juin. Les bulbes mis en terre en automne fleurissent au printemps, tandis que ceux plantés au printemps (bégonia, lis, dahlia) s'épanouissent en automne. Si votre terrain est argileux, allégez-le avec du sable et de la tourbe. Voir aussi p. 19 pour la culture des tulipes.

Marché aux fleurs

Amstelveld (C3)
Prinsengracht, tram 4.

Moins connu que le marché flottant du Singel, un charmant marché aux fleurs se tient le lundi matin sur la place ombragée de l'Amstelveld, à proximité d'une église en bois. Fleurs coupées et plantes d'appartement ou de jardin se côtoient sur les échoppes colorées.

Kees Bevaart

Singel (en face du 508 – F6)
☎ 625 82 82
T. l. j. 9h-18h.

Parmi les stands du marché flottant, c'est le mieux fourni en plantes vivaces et saisonnières. On y trouve des variétés de plantes

pratiquement inconnues en France, mais aussi de bons conseils sur leur entretien.

Firma Straats

Singel (en face du 500 – F6)
☎ 625 45 71
Lun.-sam. 8h-17h,
dim. 9h-16h.

C'est LA maison de la tulipe : un choix considérable dont la fameuse tulipe noire *Queen of night*. Également cinq cents variétés de bulbes parmi lesquels narcisse, jonquille, dahlia, jacinthe, freesia, lis, bégonia, amaryllis, etc. Pour les non-initiés, explication en français sur place. Le lot de dix bulbes de tulipes est à 3,50 €.

Van Zoomeren

Singel (en face du 526 – F6)
☎ 624 39 31
T. l. j. 7h-17h30.

Mille variétés de cactées et d'extraordinaires plantes carnivores dont il ne vaut mieux pas caresser la corolle du doigt ! Voilà de quoi contenter les paresseux (les cactus ne demandent quasiment aucun soin) ou ceux qui veulent éliminer les insectes volants de manière naturelle. C'est vers la fin mars qu'on trouve le plus grand assortiment de plantes et également de graines (deux mille sortes !) dans cette boutique flottante où l'on s'efforcera de vous donner des explications détaillées en français.

BIJOUX ET ETHNOGRAPHIE

À côté de la tradition diamantaire solidement établie à Amsterdam depuis le XVIIe s. nombreux sont les magasins et galeries qui se sont spécialisés dans les objets ethnographiques.
De somptueuses parures en argent et corail, des masques africains et océaniens, de la vaisselle traditionnelle en terre : chacun s'est spécialisé dans un type d'objets ou dans une région du monde.

Hans Appenzeller
Grimburgwal, 1 (F6)
☎ 626 82 18
Mar.-sam. 11h-17h30.

Cela fait trente ans qu'Hanz Appenzeller crée des bijoux modernes et épurés s'inspirant de la nature et du monde industriel. Ses bagues ressemblent à une tige qui s'enroule indéfiniment ou évoque les contours mouvementés d'une orchidée renfermant une perle en son cœur.
Les colliers articulés semblent quant à eux constitués de pièces métalliques assemblées entre elles.

Jorge Cohen Edelsmid
Singel, 414 (F6)
☎ 623 86 46
Mar.-ven. 10h-18h, sam. 11h-18h.

Les pièces uniques créées dans cet atelier s'inspirent à la fois de l'Art déco et des motifs de l'École d'Amsterdam. Composées à partir de fragments de bijoux anciens chinés aux puces, de cristal, de pierres semi-précieuses, de verre Lalique, de laque, de strass, d'émaux et d'argent exclusivement, ces parures se déclinent en boucles d'oreilles (à partir de 125 €), broches (à partir de 50 €), bracelets, pendentifs et colliers. Des petites merveilles qui feront bien des envieuses !

Aboriginal art & Instruments
Paleisstraat, 137 (F5-6)
☎ 423 13 33
Mar.-sam. 12h-18h, dim. 14h-18h.

Avez-vous déjà entendu le son grave d'un *didjeridu* ? Cette longue trompette taillée dans un tronc d'eucalyptus évidé par les termites accompagne les chants rituels des Aborigènes d'Australie.

Outre le grand choix de ces instruments de musique (en bois ou en PVC) dont le prix varie de 99 à 800 € selon la dimension et la qualité, vous pourrez acquérir des peintures sur toile ou sur écorce réalisées par les meilleurs artistes contemporains. Un voyage dans le « Temps des rêves » qu'on peut prolonger chez soi en écoutant un CD-Rom ou en devenant joueur de *didjeridu*.

Kashba
Staalstraat, 6 (F6/G6)
☎ 623 55 64
Lun.-sam. 11h-18h, dim. 14h-17h.

Dans cette jolie boutique ont été réunies les trouvailles d'un voyageur infatigable qui passe son temps à parcourir les steppes de l'Asie centrale et le subcontinent indien. On y trouve des meubles du Rajasthan et du sud de l'Inde, des portes, des linteaux sculptés, mais aussi des tissus ikatés et de nombreux bijoux où se mêlent l'argent, les turquoises, le corail et le lapis-lazuli. Les objets sont de qualité, les prix à l'avenant.

KASHBA

Gallery Steimer

Reestraat, 25 (B2)
☎ 624 42 20
Mar.-ven. 11h-18h,
sam. 11h-17h.

Cet artisan-créateur de bijoux et de parures invente des formes classiques et intemporelles, pleines d'imagination.
Il s'inspire aussi largement du passé.
Si vous avez envie de porter un pectoral qui vous fera ressembler à Néfertiti, un bracelet qui vous donnera l'air d'une princesse celte ou d'une matrone romaine,

Klaus Steimer comblera tous vos désirs. En mariant habilement l'or, l'argent et des pierres semi-précieuses, il décline l'orfèvrerie antique qu'il interprète intelligemment pour l'actualiser. Sur commande, vous pourrez aussi faire faire le bijou de votre choix.

Bonebakker & Zoon

Rokin, 88-90 (F6)
☎ 623 22 94
Lun.-ven. 10h-17h30, sam. 10h-16h, dim. 12h-16h.

Fournisseur des bijoux des rois et des princes depuis 1792, cette joaillerie pas vraiment *fun* ne fait que du haut de gamme. Ses vitrines valent un petit coup d'œil, même si vous n'avez pas l'intention de vous transformer en arbre de Noël. Si les diamants ne sont plus

taillés sur place, ils sont néanmoins montés en superbes parures tout comme les autres pierres précieuses. Des certificats sont délivrés pour tous les bijoux (l'or titre 18 carats). Accueil, qualité et prix à la hauteur : autant dire royaux…

De rare Kiek

Prinsengracht, 539 (B3)
☎ 620 98 60
Ven.-sam. 13h-18h ou sur r.-v.

Voici l'antre favori d'un véritable personnage qui a vécu principalement en Afrique et qui carbure au genièvre. Il se nomme Ger et a entreposé dans un hangar aux multiples recoins des centaines

de fétiches, masques, statuettes et bijoux d'Afrique et d'Océanie. Ils intéressent les collectionneurs avisés et les conservateurs de musées. Faites-y un tour avant qu'il ne soit trop tard.

BIJOUX, MODE D'EMPLOI

En Hollande, tous les bijoux en argent et or reçoivent un poinçon de conformité apposé par Gouda. Celui-ci varie selon le nombre de carats ; c'est la tulipe pour l'or de 18 carats. En revanche, pour les bijoux ethniques, il n'existe pas de marque garantissant la teneur en argent ou l'authenticité de l'ambre. Un petit conseil cependant : l'ambre est très rare et cher. Il a des qualités électrostatiques et dégage un léger parfum quand on frotte, par exemple, les perles d'un collier les unes contre les autres.

SHOPPING INSOLITE

Dans cette ville qui a des allures de village, il est essentiel de se distinguer de son voisin. Ainsi se sont ouvertes très récemment des boutiques rigolotes spécialisées dans des objets étonnants ou décalés. Elles se trouvent en grande majorité dans le Jordaan et au-delà du Prinsengracht. À votre tour de les découvrir…

Christmas Palace
Singel, 508 (F6)
☎ 421 01 55
T. l. j. 10h-17h.

Évitez le rush de la fin de l'année et venez choisir ici tranquillement vos décorations de Noël. Angelots, guirlandes, bougies dorées, serviettes en papier à motifs étoilés, sapins, pères Noël et même une édition spéciale de Delft, pour votre

table de fête. Bref, tout le matériel pour préparer le réveillon dans une atmosphère de chants de Noël et de carillons, tout au long de l'année.

Marañon
Singel, 488-490 (F6)
☎ 622 59 38
Lun.-ven. 9h30-17h30, sam. 9h-18h, dim. 10h-17h30.

Parmi le choix de cent cinquante hamacs de provenance sud-américaine, impossible de ne pas trouver celui dans lequel on voudrait être bercé. Hamacs d'intérieur en coton ou sisal, ou d'extérieur en chanvre, ils sont de dimensions variables de 3 à 6 m, légers ou en grosse toile, pour une ou deux personnes. Les prix fluctuent de 40 € pour un hamac-filet à 900/1 250 € pour un hamac brodé à la main.

Dans cette boutique, vous pourrez faire le plein de nombreux petits cadeaux qui ne vous ruineront pas (autour de 2,25 €). Jetez un coup d'œil aux lampes, vraiment très originales, comme ces guirlandes lumineuses de coquillages ou encore ces ampoules recouvertes de silicone emprisonnant des billes de verre coloré.
De quoi donner à votre maison une atmosphère étonnante.

Tangam
Herenstraat, 9 (B2)
☎ 624 42 86
Lun. 13h-18h, mar.-sam. 11h-18h, dim. 14h-17h.

Juggle Store
Staalstraat, 3 (F6/G6)
☎ 420 19 80
Mar.-sam. 12h-17h.

C'est la boutique des enfants de la balle et de tous ceux qui aiment le cirque. À vous les monocycles (165 €), les tours de magie, les balles et les quilles, les anneaux et les assiettes pour faire vos numéros de jonglerie. Impressionnez vos amis en maniant le *poïs maori* (19 €) dont on enflamme les longs rubans pour dessiner des figures sensationnelles ! David Marchant et Anne van Raaij, jongleurs de rue depuis 1982, vous montreront comment manier ces accessoires dont la « Plofbal » de leur invention. Alors, en piste !

De Witte Tandenwinkel
Runstraat, 5 (B3)
☎ 623 34 43
Lun. 13h-18h, mar.-ven. 10h-18h, sam. 10h-18h.

Vos gencives vont en voir de toutes les couleurs ! Vous entrez ici dans le palais de la brosse à dents. Fluo, en forme de Mickey, électrique ou design… Du dentifrice le plus sophistiqué au verre à dents le plus étonnant, vous trouverez de quoi mettre un peu de fantaisie dans votre brossage quotidien. Une idée de petits cadeaux rigolos et accessibles à partir de 4,55 €.

't Mannetje in Transport
Frans Halsstraat, 26A (B4)
☎ 679 21 39
www.manbike.nl
Mar.-ven. 9h-18h, sam. 9h30-17h.

Impossible de revenir d'Amsterdam sans avoir au moins pensé à s'acheter un vélo. Voici un magasin qui plaira aux amoureux de la petite reine. Très grand choix de bicyclettes, insolites et sur mesure, adaptées à vos attentes ! Ce peut être le merveilleux vélo hollandais

à rétropédalage, ou le tandem pour amoureux inséparables ou pourquoi pas une carriole pour aller faire ses courses ou pour transporter une ribambelle d'enfants hilares ? Idéal pour frimer en France avec un engin introuvable.

Fun Frames
2e Egelantiersstraat, 14 (B2)
☎ 639 39 02
Mar.-ven. 11h-18h, sam. 11h-17h.

Au cœur du Jordaan vient de s'ouvrir une minuscule boutique spécialisée dans les cadres. Du plus petit (2 x 3 cm) au plus grand (20 x 30 cm), du plus zen au plus baroque, l'imagination ne fait pas défaut aux designers

hollandais ou étrangers qui se sont creusé la tête pour encadrer celles et ceux que vous aimez. Bois flotté, bois peint à la main, métal, bordures d'angelots ou de coquillages… De 2,25 à 90,75 € le cadre.

Lush
Kalverstraat, 98 (F6)
☎ 330 63 76
Mar.-sam. 10h-18h, jeu. jusqu'à 21h, dim.-lun. 12h-18h.

Non, il n'y a rien à manger ici. Ces longs cakes multicolores sont des

VOIR AUSSI :

Condomerie Het Gulden Vlies, Warmoesstraat, 141 (F5-6) ☎ 627 41 74 (voir p. 49). La capote dans tous ses états.

Coppenhagen, 1001 kralen, Rozengracht, 54 (B2) ☎ 624 36 81 (voir p. 53). Des centaines de perles de verre pour composer vous-même vos bijoux.

savons, des déodorants, des shampoings solides faits avec des produits naturels, frais et surprenants, comme le café au lait pour le bain moussant. Le meilleur reste sans doute le « buffet » glacé où sont présentées dans des saladiers des crèmes de beauté pour le corps, le visage ou les pieds ! Vous vous servez… à la petite cuillère.

DESIGN ET DÉCORATION

Gerrit Rietveld, un des piliers du mouvement « De Stijl », s'est rendu célèbre avec sa fameuse chaise zig-zag, facile à reproduire en série. Aujourd'hui, la créativité des designers hollandais est toujours féconde, que ce soit en mobilier ou en luminaire. Meubles japonais ou accessoires exotiques se marient parfaitement avec leurs formes rigoureuses et simples.

Decor
Prinsengracht, 12 (B1)
☎ **639 24 42**
Lun. 10h-15h, sam. 11h-17h ou sur r.-v.

Decor est surtout connu pour sa ligne de canapés qui mélange des formes baroques à des tissus contemporains rayés noir et blanc. Les antiquités du début du XXᵉ s. ou les objets insolites comme ces armoires de vestiaire à croisillons métalliques ne sont là que pour planter le décor, mais donnent des idées déco très tendances à des prix abordables.

Pakhuis Amsterdam
Oostelijke Handelskade, 17 (E2)
☎ **421 10 33**
Lun.-sam. 10h-17h.

Installé dans des anciens entrepôts du XIXᵉ s. sur le port, cet espace de 7 000 m² est entièrement consacré au design européen et expose les toutes dernières tendances en la matière. Au rez-de-chaussée, le textile, au premier, le mobilier et les luminaires, au second, les dernières créations des plus grands designers. Tout est en exposition, on y vient pour se faire une idée, comparer ou commander mais non acheter car les transactions se font directement avec les boutiques concernées.

The Frozen Fountain
Prinsengracht, 629-645 (B3)
☎ **622 93 75**
Mar.-ven. 10h-18h, lun. 13h-18h, sam. 10h-17h.

Chaque mois, une nouvelle expo se tient dans cette boutique-galerie qui met en scène les dernières créations de jeunes talents néerlandais. Des accessoires de déco aux meubles sur mesure, il y a toujours des idées amusantes et souvent des cadeaux à rapporter. Large éventail de prix de 4,54 à 4 537,80 €. Depuis peu, il y a même un coiffeur et un styliste qui se sont installés sur place, pour joindre l'utile à l'agréable ! Bref, un lieu ultra-branché à ne manquer sous aucun prétexte.

Koot
Raadhuisstraat, 55 (F5)
☎ **626 48 30**
Mar.-ven. 10h-18h, jeu. jusqu'à 21h, sam.-dim. 10h-17h.

Le nouvel art de vivre hollandais à travers des lampes et des objets dessinés par leurs grands designers : Jan Des Bouvrie, décorateur à la mode, Rob Eekhardt, Maroeska Metz et Anet van Egmond. Large éventail de prix, de 5 à 535 €.

S i vous craquez pour un meuble un peu encombrant à transporter, faites appel à un transporteur local ou à Danzas qui vous le livrera dans un délai de 1 à 4 jours (voir adresses p. 83). Quant aux luminaires, ils ont les mêmes normes électriques qu'en France : pas de problème pour les adapter.

Klamboe Unlimited
Prinsengracht, 232 (B2)
☎ 622 94 92
Mar.-sam. 11h-18h en été ; ven. 12h-18h et sam. 12h-17h en hiver.

Qui n'a rêvé durant les chaleurs estivales d'une mousseline légère flottant autour du lit pour se protéger des agacements des moustiques ? Vous trouverez ici toutes sortes de moustiquaires ou *klamboe*, sur cadre rond ou rectangulaire, en Nylon, coton léger ou polyester. De 20 à 68 € pour les grandes moustiquaires, 20 € pour un modèle de voyage.

Fanous Ramadan
Runstraat, 33 (B3)
☎ 423 23 50
Lun.-ven. 12h-18h, sam.-dim. 13h-18h.

Une *fanous ramadan* est une lanterne égyptienne qu'on allume le dernier soir en fin de période de ramadan. Ce petit magasin situé au coin de la Runstraat et du Prinsengracht s'est spécialisé dans toutes sortes de lanternes orientales,

lampes en verre, en métal, en cuivre. C'est ici que vous découvrirez les pièces les plus rares pour créer chez vous la douce lumière des *Mille et Une Nuits*.

Mobilia Woonstudio
Utrechtsestraat, 62-64 (C3)
☎ 622 90 75
Mar.-ven. 10h-17h30, sam. 10h-17h.

C'est LE magasin du design hollandais exposé sur quatre niveaux. Parmi les classiques indémodables depuis 1920, il y a la fameuse chaise ergonomique 201 Gispen (455 €), dessinée par W. H. Gispen, le lit clap conçu par Martin Visser, la chaise Chaplin en cuir déhoussable (1 030 €) de Gerard van den Berg et le « fauteuil garni » de Rob Eckhardt. Le luminaire n'est pas en reste avec l'étonnante suspension « melkfles » (bouteille de lait) et les lampadaires coniques. Les prix démarrent à 20 €.

Dom
Spuistraat, 281A-C (F6)
☎ 428 55 44
Lun-sam. 11h-19h, jeu. jusqu'à 21 h, dim. 13h-19h.

Dom, comme domicile ou comme sot en néerlandais. Car c'est ici que vous trouverez en avant-première les toutes dernières tendances de la déco et du design à des prix superintéressants. Les vendeurs sont un peu « folfolles » tout comme certains articles ultrakitsch ou carrément allumés du type vache volante (12 €) ou porte-manteau en forme de trophée de chasse flashy (7,50 €). De la couleur, du plastique, de l'excentrique, de l'insolite pour ne pas vivre triste ! À voir absolument.

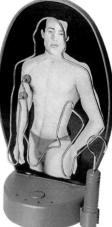

LE TOUR DES MARCHÉS

C'est en allant au marché qu'on prend le mieux la température d'une ville. Vous y découvrirez le caractère des Amstellodamiens, tantôt très baba cool-écolos, tantôt un brin intellos, mais préférant par-dessus tout le marché aux fleurs et les puces où l'on trouve vraiment de tout dans une ambiance très cosmopolite.

Marché aux fleurs

Singel (F6)
T. l. j. en été, 8h-17h30,
f. le dim. en hiver.

Vous ne risquez pas de manquer ce marché très central et coloré en toutes saisons.

Marché aux puces

Waterlooplein (G6)
Lun.-sam. 10h-17h.

Le plus grand marché aux puces d'Amsterdam est spécialisé dans la fripe. Tout dépend de votre sens de l'extrapolation et du bricolage, mais il paraît que l'on peut s'habiller pour presque rien. Du reste, tous les stylistes vous

le diront : c'est aux puces qu'ils piquent leurs idées. On y trouve aussi chaussures, bouquins, disques, vieilles cartes postales, surplus militaires. Mention spéciale pour les stands de tissus indonésiens et de bijoux indiens, certains fort beaux et introuvables chez nous. Attention, dealers et pickpockets sont aussi au rendez-vous.

Marché aux timbres (Postzegelsmarkt)

Nieuwezijds Voorburgwal (F6)
Spui
Mer. et sam. 13h-18h.

En face de l'Amsterdams Historisch Museum se tient deux fois par semaine un marché aux timbres et aux pièces de monnaie anciennes. Les amateurs de philatélie et de numismatique doivent y faire un tour pour compléter leur collection. Ambiance très professionnelle.

Marché des bouquinistes

Oudemanhuispoort (F6)
Muntplein
Lun.-sam. 11h-17h.

Dans un passage pittoresque du XVIIIe s. entre le Kloveniersburgwal et l'Oudezijds Voorburgwal, stands de bibliophilie et de gravures

anciennes. Prenez le temps de farfouiller. Les Hollandais étant doués pour les langues, on trouve couramment des livres en français. Vous pourrez trouver aussi des gravures originales ou des fac-similés de paysages amstellodamiens du XVIIe s. au XIXe s. De jolis souvenirs peu encombrants à rapporter.

Marché de l'art (Kunstmarkt)

Spui (F6)
Trams 1, 2, 5, 11
Dim. 9h-18h, de mars à début décembre.

Parmi les stands de ces artistes d'aujourd'hui qui viennent vendre régulièrement, on verra le pire comme le meilleur : de la céramique raku, des aquarelles,

des sculptures, des peintures à l'huile. Un excellent graveur, Wim van der Meij, vend des originaux à partir de 29,50 €. Pour les peintures, tout est affaire de goût, mais ce n'est pas plus mauvais que ce que l'on voit couramment dans les salons de peinture contemporaine.

Marché aux livres (Boekenmarkt)

Spui (F6)
Trams 1, 2, 5, 11
Ven. 10h-18h.

Sur un fond musical de notes très distinguées, égrenées par une harpe, des poètes lisent leurs quatrains, tandis que les amateurs de vieux livres et les collectionneurs de raretés feuillettent des livres anciens reliés de cuir pleine peau et cherchent les éditions de bibliophilie. Un marché amusant et très typique.

Marché aux oiseaux et aux produits de la ferme

Noordermarkt (B1)
Jordaan
Sam. 9h-17h et lun. matin.

Ce sympathique marché populaire qui se prolonge sur le Lindengracht propose, parmi les stands de produits fermiers, aussi bien des poussins et des pigeons voyageurs que des oiseaux exotiques… Allez-y avec vos enfants pour un cours de sciences naturelles. Très fréquenté par les

habitants du Jordaan qui se retrouvent dans les cafés de la place après avoir fait leurs emplettes.

Marché général Albert Cuypmarkt

A. Cuypstraat (B4/C4)
Trams 4, 16, 24, 25
Lun.-sam. 9h-17h.

Le plus fréquenté et le plus populaire des marchés de la ville. Parmi les étals de poissons, volailles, fruits et légumes, épices, fromages, vêtements bon marché, quincaillerie et articles de cuir, se côtoie une foule très cosmopolite.

Marché à la brocante

Nieuwmarkt (G5-6)
M° Nieuwmarkt
Dim.
10h-17h.

Objets hétéroclites, fonds de grenier, livres fatigués, meubles à bout de souffle. Bref, l'endroit idéal pour chiner si le cœur vous en dit. Beaucoup de choix, mais il faut savoir prendre son temps. Quelques objets neufs et si l'on vient de bonne heure, peut-être quelques pièces intéressantes, notamment pour l'argenterie, la céramique et le verre. Le tout n'est quand même pas donné, finalement.

BOURSE AUX DISQUES

Nieuwmarkt (G5-6)
Avr.-sept. 10h-20h.

Quatre ou cinq jeudis par an d'avril à septembre, les Dj's et les collectionneurs européens se ruent sur cette gigantesque foire aux vinyls où l'on trouve absolument de tout y compris des CD-Roms à prix réduits, des éditions limitées et des très vieux LP. Pour connaître les dates consultez le site www.dynamitebeurzen.nl

ARTS DE LA TABLE ET TISSUS

Venus du monde entier et en particulier d'Asie, des objets rares, beaux ou amusants ainsi que des étoffes chamarrées, habilleront simplement – ou somptueusement – la table et la maison. Amsterdam compte ainsi plusieurs boutiques de tissus introuvables ailleurs. Mais depuis quelques années déjà, le high-tech fait fureur dans les boutiques du Jordaan qui suivent de très près les tendances de la mode.

Kitsch Kitchen
Rozengracht, 8 (B2)
☎ 428 49 69
Lun.-sam. 10h-18h.

En vrac dans ce *supermercado* : balais fluo, plateaux Corona, toiles cirées fleuries, cabas vernis,

verres à tequila, braseros, ex-voto de Notre-Dame-de-la-Guadaloupe, *piñatas*, tables en Formica et tout un département de jouets kitsch pour vos bambins. Les Amstellodamiennes adorent !

Rams
Utrechtsestraat, 120 (C3)
☎ 420 45 85
Lun. 13h-18h, mar.-sam. 11h-18h.

Des étoffes en soie tissées main, déclinées en plaids, coussins, jetés de table et voile dans un décor orientalisant. Métissages de motifs ethniques, de matières brutes, de verres colorés et de meubles chinois et indonésiens anciens aux lignes pures… Un univers très particulier qui invite à la sérénité.
Le prix d'un plaid 27 x 240 cm démarre à 134 €, celui d'un coussin 44 x 44 cm à 22 €.

What's Cooking
Reestraat, 16 (B2)
☎ 427 06 30
Mar.-ven. 12h-18h, sam. 11h-18h.

Le spécialiste du cadeau culinaire ! Le rez-de-chaussée et l'étage sont consacrés aux couleurs bleues et vertes et le sous-sol

aux rouges, oranges et jaunes. Ainsi, dans un saladier, vous offrez une composition en camaïeu associant des produits et des sauces amusantes ou originales.

De Hal

Albert Cuypstraat, 224A (C4)
☎ 679 59 73
Lun.-ven. 9h-17h30, sam.
9h-17h.

Ciel des tissus ! Imitation vache ou léopard, fourrure synthétique, organdi, soie rebrodée, cachemire, mérinos, velours, brocarts, gaufrés, écossais, pongé, percale, satin, tulle, mousseline… des kilomètres d'étoffes à vous faire tourner la tête !
Les catalogues Vogue sont là pour vous donner des idées avant de commander ce tissu plastique Paco Rabanne, ces dentelles Yves Saint Laurent ou ces appliqués Ungaro. De plus vous aurez 10 % de remise en montrant ce guide au patron ! Profitez de l'aubaine !

Den Haan & Wagenmakers

Nieuwezijds Voorburgwal,
97-99 (F5-6)
☎ 620 25 25
www.dutchquilts.com
Ven.-sam. 10h-17h.

Un lieu incontournable pour les amateurs de patchwork. Depuis quinze ans De Haan & Wagenmakers édite sa propre collection de tissus pour patchwork, que vous ne trouverez nulle part ailleurs. En plus d'un bon nombre de livres et de magazines sur le sujet, il vend des kits prêts à l'emploi mais aussi des objets déjà confectionnés.

Mc Lennan's Puresilk

Hartenstraat, 22 (B2)
☎ 622 76 93
www.puresilk.nl
Lun. 13h-18h, mar.-ven.
10h30-18h,
sam. 10h30-17h30.

On entre ici dans l'univers chatoyant des plus belles soies sélectionnées dans les ateliers de Chine, de Thaïlande et du Vietnam. Tendues sur les murs ou dressées en oriflammes, elles sont sauvages, lisses, gaufrées,

brochées, satinées, imprimées ou unies. C'est ici que les couturiers hollandais viennent s'approvisionner en crêpes de Chine, shantungs, taffetas et soies brochées. Comptez 26 € le mètre pour un crêpe de Chine léger et 50 € pour un plus épais. Des matières et des couleurs somptueuses.

TISSU, MODE D'EMPLOI

La largeur des tissus n'est pas standard. Chez Hotshop, 1,50 m de tissu (lé de 2,80 m) devrait suffire à confectionner une nappe et les six serviettes assorties. Capsicum vend des tissus en lé de 1,10 ou de 2,50 m. Quant aux soies de chez Mc Lennans, elles mesurent entre 1 m et 1,15 m de large. Il faut donc environ 0,50 m pour confectionner une housse de coussin.

Studio Bazar

Reguliersdwarsstraat, 60-62
(F6)
☎ 622 08 30
Lun. 13h-18h, mar.-ven.
10h-18h, le jeu.
jusqu'à 21h, sam. 10h-17h.

Malgré le concept « hangar » un peu rébarbatif, c'est ici que l'on trouve tout ce qui se fait de mieux en matière de vaisselle, linge de table et ustensiles de cuisine tendance actuelle. Du plus sophistiqué au gadget indispensable pour la cuisine, vous naviguerez entre les machines à espresso et les mixers haut de gamme, toute la panoplie des tire-bouchons Screwpull, la bouilloire Mickey, la brosse à champignon, les verres à bulles, la pince à retirer les arêtes, les moules à chocolat en latex, les pique à fromage « Vénus » ou encore la vaisselle colorée.

ANTIQUITÉS ET FAÏENCES

Tous les collectionneurs connaissent la Nieuwe Spiegelstraat où se côtoient les meilleurs antiquaires d'Amsterdam. Mais à côté de ces prestigieuses maisons, il existe d'autres coins plus secrets où vous ferez de vraies affaires, notamment de belles pièces de vieux et nouveau Delft, introuvables ailleurs. Les verres gravés ou sculptés font aussi partie du décor traditionnel des intérieurs hollandais.

Hogendoorn & Kaufman

Rokin, 124 (F6)
☎ 638 27 36
Lun.-sam. 10h-18h, dim. 12h-18h.

La meilleure adresse en ville pour acheter du Delft ou du Makkum récent. Les pièces sélectionnées dans les deux manufactures royales ont des décors réalisés à la main par les plus grands artisans. De jolis carreaux de Delft (13 x 13 cm) aux élégantes tulipières, mais il faut quand même y mettre le prix : 22,70 € pour un carreau à motif, à partir de 265 € pour un vase à tulipes. La maison assure les expéditions à l'étranger.

souvenirs mais une boutique spécialisée dans la faïence hollandaise. Elle vend exclusivement des pièces signées, provenant des manufactures royales Porceleyne Fles à Delft et Tichelaar à Makkum. Carreaux de faïence à partir de 25 €. Un choix considérable.

faufiler avec des précautions de chat dans un incroyable amoncellement de faïences, porcelaines, verres, pipes en terre. C'est ici que vous aurez le plus grand choix de carreaux vernissés. Un peu cher pour refaire entièrement sa cuisine

Holland Gallery De Munt

Muntplein, 12 (F6)
☎ 623 22 71
Lun.-sam. 10h-18h.

Ne vous y trompez pas, ce n'est pas un magasin de

Eduard Kramer

Nieuwe Spiegelstraat, 64 (B3)
☎ 623 08 32
Lun-sam. 10h-18h, dim. 12h-18h.

Chez cet antiquaire spécialisé dans le Delft et le Makkum anciens, il faut se

Pour avoir une idée des prix des antiquités, faites donc un tour chez Sotheby's. Le célèbre établissement anglais de vente aux enchères a une succursale à Amsterdam. Vous y trouverez des catalogues de vente avec les prix atteints par les objets mis en vente. Si vous voulez acheter en vente publique, une exposition précède chaque vacation.

Sotheby's
De Boelelaan, 30 (HP)
☎ 550 22 00
Lun.-ven. 9h-17h.

ou sa salle de bains, mais rien
ne vous empêche de prendre un
carreau comme dessous-de-plat.

Peter Korf De Gidts
Nieuwe Spiegelstraat, 28 (B3)
☎ 625 26 25
Mar.-dim. 12h30-17h30.

Au XVIIIe s., il était d'usage
d'offrir un verre gravé,
fragile souvenir d'une fête
familiale, religieuse ou profane.
Ces pièces, aujourd'hui
assez rares, sont ornées
d'armoiries, de maximes,
de personnages ou de paysages.
Un très joli cadeau,
typiquement hollandais.

Toebosch
**Nieuwe Spiegelstraat, 33-35
(B3)**
☎ 625 27 32
**Lun.-ven. 11h-17h30,
sam. 11h-17h.**

Au milieu du tic-tac des
merveilleuses horloges
hollandaises, découvrez des
baromètres du XVIIIe s. et des
boîtes à musique du XIXe s. qui
peuvent être de petites dimensions
mais aussi se transformer en de
véritables meubles d'ébénisterie.
Pour agrémenter ce décor, buffets,
tables et chaises reconstituent un
intérieur hollandais.

Steenman & Van der Plas
Prinsengracht, 272 (B2)
☎ 627 21 97
**Jeu. et ven. 11h-18h,
sam. 11h-17h ou sur r.-v.**

Beaux, simples et fonctionnels,
tels sont les meubles et accessoires
de bureau et de magasin dessinés
entre 1880 et 1920. Des grandes
horloges aux armoires à dossiers
coulissantes, une exposition de
pièces exceptionnelles dans un très
bel espace. Allez-y pour voir.

Ingeborg Ravestijn
Nieuwe Spiegelstraat, 57 (B3)
☎ 625 77 20
**Lun.-sam. 13h-17h (il est
préférable d'appeler avant).**

Antiquaire généraliste, son décor
est constitué d'argenterie et de
barbotines françaises ! Pour
donner une touche d'originalité
à votre table, vous pouvez acheter
chez lui des répliques de verres

hollandais fabriqués en Tchéquie.
Les prix du plus petit modèle au
plus grand (les longues flûtes)
vont de 22 à 62 €.

Frides Laméris
Nieuwe Spiegelstraat, 55 (B3)
☎ 626 40 66
**Mar.-ven. 10h-18h, sam.
10h-17h.**

Spécialisés en faïences et en verres
anciens des XVIe, XVIIe et XVIIIe s.,
vous trouverez dans ces vitrines des
cornes à boire et des verres à pied
pastillés, souvent représentés dans
les natures mortes hollandaises.
Également des faïences de Delft et
de la porcelaine chinoise.

H. C. van Vliet
Nieuwe Spiegelstraat, 74 (B3)
☎ 622 77 82
**T. l. j. 10h-18h et sur r.-v.
(il est préférable d'appeler
avant).**

Perpétuant la tradition des maîtres
verriers hollandais, cet antiquaire
possède une extraordinaire
collection de verrerie européenne
des XVIIe et XVIIIe s. La sélection
de verres gravés est très belle.
Ces objets délicats étaient
à l'origine offerts pour marquer
une occasion particulière :
un baptême, un mariage,
un anniversaire…
Beaucoup de pièces d'origine
italienne et flamande.
Également un grand choix
de faïence hollandaise ancienne.

BROCANTEURS

Tradition du Nord, la brocante est présente sur tous les marchés de la ville. Mais les vraies affaires se font chez les antiquaires qui, s'ils sont parfois plus chers, ont de belles pièces dont l'authenticité est moins contestable. Néanmoins, la ville réserve quelques vraies bonnes surprises à qui aime fouiller. Quant aux mordus de chine, ils ne manqueront pas le grand déballage qui a lieu à l'occasion de la fête de la reine (voir p. 33).

Fifties-Sixties

Huidenstraat, 13 (B3)
☎ 623 26 53
Mar.-sam. 11h-18h.

Dans un aimable fouillis de luminaires et d'appareils électroménagers trône la propriétaire qui garantit l'authenticité de son stock exclusivement années 1930 à 1960. Une très belle sélection, pas trop chère, de robots pour la cuisine, de vaisselle et de lampes au design années 1960 absolument inimitable. Tout n'est pas mettable dans n'importe quel intérieur, mais les accros de la mode rétro sixties seront aux anges. Comptez 124,80 € pour une lampe Philips 1940, 73 € pour un toaster 1950.

& Klevering

Bloemgracht, 175-177 (B3)
☎ 422 03 97
Mar.-ven. 11h-18h.

Un grand entrepôt où d'anciennes baignoires en fonte émaillée voisinent avec des doubles lavabos en marbre ou en grès des années 1930. Pour la cuisine de votre maison de campagne, de simples armoires, en bois ciré ou cérusé, seront parfaites pour ranger la vaisselle.

De Weldaad

Reestraat, 1 (B2)
☎ 627 00 77
Mer.-sam. 11h30-17h.

Mirjam Verheyke furète dans les maisons d'Amsterdam Siècle d'or en cours de démolition pour récupérer des carreaux de Delft, des éviers en pierre bleue, des cheminées en marbre, des volets en bois, des grilles en fer forgé, des cartouches de façade… Elle collectionne aussi les objets de fouille tels les bouteilles de genièvre en grès, les faïences et les verres

ainsi que les *curios* : coquillages et poissons exotiques empaillés. Une passion qu'elle partagera volontiers avec vous à des prix nettement inférieurs de ceux d'un antiquaire !

Tut-Tut

Elandsgracht, 109 (B2-3/ De Looier antiekmarkt)
☎ 627 79 60
Mer.-sam. 11h-17h30, jeu. jusqu'à 21h.

Parmi les antiquaires de ce petit marché, le stand du spécialiste de vieux jouets : robots, jouets mécaniques, vieux trains Fleischmann, Dinky Toys et Matchbox (parfois dans leur boîte d'origine)… Prix à marchander !

Conny Mol
Elandsgracht, 65 (B2-3)
☎ 623 25 36
Ven.-sam. 11h-17h.

Conny Mol s'intéresse au mobilier, luminaires et objets de 1850 à 1945. Dans ce large éventail, vous verrez de belles pièces Art déco, comme des lampes et des appliques en verre et chrome. Les miroirs, avec leur encadrement en fer forgé, sont aussi à l'ordre du jour.

Meulendijks & Schuil
Nieuwe Spiegelstraat, 45A (B3)
☎ 620 03 00
Lun.-sam. 10h-18h.

Pour tous les cinglés du nautisme et des balbutiements de la navigation, une adresse à retenir : vieilles boussoles, sextants du XVIIIe s. et chronomètres. Beaucoup d'idées de déco et de cadeaux, souvent bien moins chères que chez nous.

Keystone Novelty Store
Huidenstraat, 28 (B3)
☎ 625 26 60
Mar-sam. 11h-18h.

Les amateurs de vieux jouets seront ravis par le choix de cette boutique, qui vend également de la vaisselle et de l'électroménager des années 1950. Des Dinky Toys à 4,55 €, une locomotive Fleischmann à 174,70 € ou des poupées mécaniques à 36,30 €. Des prix

intéressants pour grands enfants nostalgiques, et des jouets de collectionneurs.

Silverplate
Nes, 89 (F6)
☎ 624 83 39
Mar.-ven. 12h-18h, sam. 11h-17h.

Kyra ten Kate a ouvert à deux pas du Rokin un magasin où l'on peut trouver, à prix raisonnable, de l'argenterie du siècle dernier et des pièces en métal argenté pour dresser une belle table. Grand choix de couverts de table et de service.

Nic Nic
Gasthuismolensteeg, 5 (F6)
☎ 622 85 23
Mar.-ven. 12h-18h, sam. 10h-17h.

Voilà une jeune femme qui fait ce qui lui plaît. Le résultat : un bric-à-brac étonnant pour chiner amusant à des prix raisonnables, des

DE ROMMELMARKT (MARCHÉ AU BRIC-À-BRAC)
Looiersgracht, 38 (B3)
Sam.-jeu. 11h-17h.

Quelques étals signalent l'entrée de ce marché couvert. Sur deux étages, deux cents exposants permanents ou occasionnels proposent une sorte de brocante permanente. C'est le week-end que l'on a le plus de chances de trouver la pièce rare à bon prix.

barbotines, des saints patrons, des luminaires des années 1960-70 ou encore des bougeoirs de designers scandinaves à 7,71 €.

TABAC ET SPIRITUEUX

« Dans le port d'Amsterdam… » La chanson évoquait déjà les vapeurs de l'alcool et la fumée des pipes, il est donc tout naturel de trouver ici un grand nombre de boutiques consacrées à ces fruits défendus. Ville portuaire, ancienne plaque tournante d'un vaste empire colonial, on y trouve aussi des marchands d'épices dont les senteurs rappellent l'Indonésie, les Moluques ou les Célèbes.

P.G.C. Hajenius
Rokin, 92-96 (F6)
Entre le Dam et Muntplein
☎ **623 74 94**
Lun.-sam. 9h30-18h, jeu. jusqu'à 21h, dim. 12h-17h.

Même les non-fumeurs se doivent de pénétrer dans ce temple du tabac, une superbe boutique au décor Art déco inchangé depuis 1914. Dès que l'on passe la porte, les parfums mêlés du tabac vous sautent aux narines. Boiseries anciennes, rayonnages couverts de cigares, de pipes ou de pots à tabac : on se croirait dans un temple entièrement destiné aux fumeurs. Hajenius est une boutique un rien chic, avec une

british touch amusante, réputée depuis cent soixante-dix ans pour les subtils mélanges d'arômes de sa production de cigares, des cigarillos aux coronas. On y trouve aussi les accessoires de luxe pour fumeur : briquets, boîtes, humidificateurs, caves à cigares ainsi qu'un choix colossal de pipes en terre, en bois ou en écume.

Herboristerie Jacob Hooy & Co
Kloveniersburgwal, 12 (G6)
☎ **624 30 41**
Lun. 10h-18h, mar.-ven. 8h30-18h, sam. 8h30-17h.

C'est la cinquième génération des Oldenboom qui est derrière l'antique comptoir depuis cent cinquante ans. Leur spécialité : les épices et les herbes médicinales (six cents variétés), les produits cosmétiques naturels et les bonbons sucrés et salés dont les fameuses réglisses ou *drop*, une redoutable spécialité du Nord, à goûter par curiosité. Même si vous n'achetez rien, la boutique mérite un détour avec ses alignements de bocaux.

The Natural Health Company « De Munt »
Vijzelstraat, 1 (B3)
☎ **624 45 33**
Lun.-ven. 9h30-18h30, jeu. jusqu'à 21h, sam. 9h30-18h30, dim. 12h-18h.

Tandis que les vitamines et les huiles essentielles jalonnent les étagères, des bains moussants aux extraits de plantes, des savons extraordinaires au cinabre, à l'orange, voire au cannabis, agrémenteront votre bain. Que des produits naturels pour une santé de fer et une peau de pêche.

Oud Amsterdam

Nieuwendijk, 75 (F6)
☎ 624 45 81
Lun.-sam. 10h-18h.

Dans cette rue commerçante très fréquentée, Oud Amsterdam, « le vieil Amsterdam », est une boutique à l'ancienne aux poutres décorées de petites bouteilles d'alcool. Derrière le comptoir patiné par les ans, on découvre la cinquantaine de liqueurs hollandaises, mais surtout les dix-sept sortes de genièvres distillés sur place et âgés de 1 à 17 ans. La dégustation s'impose.

Van Coeverden

Leidsestraat, 58 (B3)
☎ 624 51 50
Lun.-sam. 10h-18h.

Un vrai magasin de tabac à l'ancienne, avec son sol carrelé et ses meubles sombres où sont alignés les pipes, boîtes à cigares, paquets de tabac à rouler et même paquets de cigarettes. Les murs aussi semblent imprégnés du parfum du tabac. Rien ne semble avoir beaucoup changé ici depuis des décennies, et même si vous n'êtes pas un accro de la cigarette, poussez la porte pour découvrir l'une des boutiques les plus typiques d'Amsterdam.

Henri Bloem's

Gravenstraat, 8 (F5)
☎ 623 08 86
Lun. 12h-18h, mar.-ven. 10h-18h, sam. 10h-17h.

Plus qu'un magasin de spiritueux, vous trouverez ici un véritable conseiller en genièvres où l'on vous expliquera toutes les nuances entre le *bessenjenever*, l'*oude jenever* et le *korenwijn*. Vous pourrez ensuite faire vos achats en connaisseur.

De Bierkoning

Paleisstraat, 125 (F5)
☎ 625 23 36
Lun. 13h-19h, mar.-ven. 11h-19h, jeu. jusqu'à 21h, sam. 11h-18h, dim. 13h-17h.

Une balade à Amsterdam, aussi brève soit-elle, serait incomplète sans la visite d'une brasserie ou d'un établissement à bière. Depuis le XVIe s., cette boisson coule à flots dans les cafés de la ville. À De Bierkoning vous pourrez trouver une sélection de huit cent cinquante sortes de bières différentes, à emporter. Et pour les puristes, le verre approprié accompagne chaque variété.

GENIÈVRE OU EAU-DE-VIE ?

Parfumé aux herbes, le genièvre se boit jeune ou vieux, mais peut être également distillé avec du citron ou des groseilles. Les eaux-de-vie de fruits, comme la *Rose sans épines* préparée par les moines pour rafraîchir l'haleine des jeunes filles, ou l'*Oranje Bitter*, une sirupeuse liqueur d'orange bue le 30 avril, jour anniversaire de la reine Juliana, ont aussi leurs adeptes.

CAFÉS, THÉS, CHOCOLATS & ÉPICES

Vous reprendrez bien un *Amsterdammetje* ou un *speculaas* avec votre café ? Pour ne pas paraître trop béotien quand on vous fera ce genre de proposition, précipitez-vous dans une de ces très bonnes confiseries pour goûter aux saveurs subtiles du chocolat amer et des gâteaux au gingembre. Puis laissez-vous tenter par la bonne odeur du café fraîchement torréfié, qui signale ces vénérables maisons, pour la plupart contemporaines des premières expéditions de la Compagnie des Indes vers les lointaines îles aux épices. Et si vous voulez vous lancer dans la cuisine indonésienne, c'est dans le quartier sud que vous trouverez le plus vaste choix d'ingrédients dépaysants.

Geels & Co
Warmoestraat, 67 (F5)
☎ 624 06 83
Lun.-sam. 9h30-18h.

Au cœur du quartier rouge survit une entreprise familiale fondée il y a 140 ans, qui torréfie 20 sortes de café dans l'arrière-boutique.

De Plantage
Utrechtsestraat, 130 (C3)
☎ 626 46 84
Lun. 12h-18h, mar. –ven. 10h-18h, sam. 10h-17h30 et dim. en août 13h-17h30.

Il faut absolument venir le jeudi pour assister à la torréfaction manuelle des trente sortes de cafés aux arômes délicats. C'est aussi le seul endroit de la ville où l'on peut goûter aux thés et aux cafés avant d'acheter ! *High Tea* le dimanche ou en semaine sur réservation.

Simon Lévelt
Prinsengracht, 180 (B2)
☎ 624 08 23
Lun.-ven. 9h-18h, sam. 9h-17h.

Face à la Westerkerk, on vend depuis 1839, dans ce très beau magasin décoré de ferronneries, 25 sortes de cafés torréfiés sur place et cent mélanges de thés personnalisés. Une institution incontournable à Amsterdam !

Wijs & Zonen
Warmoesstraat, 102 (G5)
☎ 624 04 36
Lun.-ven. 9h30-18h, sam. 10h-18h.

Une jolie boutique qui fleure bon le café conservé dans de grandes bonbonnes en fer émaillé. Depuis des générations se répète un rituel immuable : un goûteur vient vérifier la fidélité des subtils assemblages d'une quarantaine de variétés de thé.

Puccini Bomboni
Staalstraat, 17 (F6/G6)
☎ 626 54 74
Mar.-sam. 10h-18h, dim. 13h-18h.

Au centre d'une belle boutique éclairée par des vitraux trône une

LES TRIBULATIONS DU CAFÉ

Savez-vous que le nom du café vient de *Kaffa*, une région d'Éthiopie dont le caféier est originaire ? Exploité par les marchands arabes qui l'introduisent au Yémen, il devient l'*Arabica* ou *Moka*, du nom de son principal port d'exportation. C'est le maire d'Amsterdam, Pancras, qui, en 1714, offrit à Louis XIV quelques plants de café, que les Hollandais avaient acclimaté dans leur colonie indonésienne de Batavia. Les Français, à leur tour, les diffusèrent en Guyane et au Brésil…

table-comptoir où s'amoncèlent en fragiles pyramides de divins chocolats fourrés. À base de beurre et de cacao, Ans van Soelen les prépare selon des recettes anciennes, sans conservateur. Un vrai régal. *Weight watchers* s'abstenir !

Toko Ramee
Ferdinand Bolstraat, 74 (B4)
☎ 662 20 25
Mar.-sam. 9h-18h, dim.-lun. 12h-17h.

Krupuk, ayam, sambal, gado gado, bami, nasi… Le jeu pourrait consister à imaginer à quel produit correspondent ces onomatopées

indonésiennes. Mais pour être rassuré sur la nature de votre achat, demandez conseil à la charmante épicière moluquoise qui vous indiquera également les façons d'accommoder du poulet ou du porc avec les épices. Lancez-vous dans la nouvelle cuisine : ces ingrédients se marient aussi fort bien avec la gastronomie occidentale à laquelle ils donnent une note de chaleur savoureuse.

Arnold Cornélis
Elandsgracht, 78 (B2-3)
☎ 625 85 85
Van Baerlestraat, 93 (B4)
☎ 662 12 28
Lun.-ven. 8h30-18h, sam. 8h30-17h.

Dans cette pâtisserie réputée, vous trouverez, outre les délicieuses tartes aux fruits *(limburgse vlaai)*, des confiseries, des biscuits au beurre, des *speculaas*, exquis avec le café, du massepain et des chocolats, tous faits maison. C'est l'adresse préférée des Amstellodamiens gourmands.

Australian Homemade
Leidsestraat, 101 (B3)
☎ 622 08 97
Lun.-sam. 10h-23h ; t. l. j. 12h-23h en été.

Les gourmands et amateurs d'art fondront devant ces chocolats ornés de dessins aborigènes. Des kangourous pour signaler ceux au thé, une tortue et un poisson pour ceux aux

amandes et gingembre… À vous de découvrir les autre goûts et les parfums des glaces faites maison.

Unlimited Delicious
Haarlemmerstraat, 122 (B1)
☎ 622 48 29
Lun.-ven. 9h-18h, sam. 9h-17h
www.unlimiteddelicous.nl

Blancs, noirs ou au lait, ces chocolats n'ont rien de banal. Le parfum de la fève est subtilement mis en valeur par du vinaigre balsamique, du piment d'espelette, du poivre rose… Au total, vingt-cinq combinaisons différentes et uniques. Si vous réservez votre place un mois à l'avance, vous pourrez même apprendre à les faire avec le maître chocolatier en personne.

SECONDE MAIN

L es Hollandais adorent faire des affaires. Pour les fripes, allez sur les marchés du Waterlooplein et du Noordermarkt où l'on voit le grand retour des fringues années 1970. Si vous voulez conserver un look plus classique, mieux vaut aller dans des boutiques spécialisées du Jordaan. Dans la Kalverstraat et la Nieuwendijk, plusieurs magasins font des ventes promotionnelles toute l'année. Et comme partout ailleurs, c'est au moment où s'affichent *Uitverkoop* et *Opruiming* qu'on achète malin. Les soldes ont lieu deux fois par an : la dernière semaine de décembre et de juin, et durent environ un mois.

Jo-Jo Outfitters et Jo-Jo Shop

Huidenstraat, 23 (B3)
☎ 623 34 76
Lun. 12h-18h,
mar.-sam. 11h-18h, dim.
14h-18h.

Pour les hommes, des marques anglaises et américaines dégriffées mais dont on reconnaît pour beaucoup la signature. On privilégie la qualité et l'indémodable. Des chemises, des pantalons ou des vestes (de 68 à 181,50 € pour les plus belles). Pas de modèle vraiment créatif, mais de beaux articles à garder longtemps.

Lady Day

Hartenstraat, 9 (B2)
☎ 624 15 14
Lun.-sam. 11h-18h, jeu.
jusqu'à 21h, dim. 13h-18h.

Ceux qui aiment les années 1950-1970 trouveront ici leur bonheur avec ces vêtements qui viennent pour la plupart des États-Unis. Robes du soir, costumes, ensembles pour enfants, accessoires de mode… Il y a de quoi habiller toute la famille. Comptez 19 € la chemise, 35 € le pantalon, de 35 à 125 € pour une robe du soir et au maximum 89 € pour un manteau de cuir.

Callas 43

Haarlemmerdijk, 43 (B1)
☎ 427 37 90
Lun.-sam. 12h-18h.

Du seconde main de luxe : Karl Lagerfeld, YSL, Dior, Edgar Vos et autres marques prestigieuses au tiers du prix en version vêtements, bijoux et accessoires. Une boutique très fréquentée où l'on fait de vraies affaires, qui pour certaines peuvent justifier le voyage. Bref, une adresse à ne pas divulguer…

Marché aux puces

Westerstraat (B1-2)
et Noordermarkt (B1)
Tous les lun. 9h-13h.

Ceux qui aiment fouiner seront comblés. Vous trouverez tout le long de la Westerstraat des produits de seconde main, comme

SALLE DE VENTE DE ZWAAN

Keizersgracht, 474 (B3)
☎ 622 04 47
**Lun.-jeu. 9h-17h,
ven. 9h-16h.**

Comme partout, tout s'achète dans cette salle des ventes municipale. Les prix atteints sont en général assez bas et il ne faut pas hésiter à se renseigner sur la prochaine vacation (certaines ont lieu le week-end). Chaque vente est précédée d'une exposition où vous pourrez à loisir examiner le meuble ou l'objet qui vous intéressent. Évidemment, il vaut mieux comprendre le néerlandais et ne pas lever le bras intempestivement. Pour éviter les surprises et pour ne pas laisser filer l'objet de votre convoitise, la meilleure solution consiste, avant la vente, à passer un ordre au commissaire-priseur.

des tissus, des accessoires de cuisine ou des vêtements. Sur la Noordmarkt se tient un petit marché aux puces. Vous aurez le choix entre des lustres hollandais à des prix intéressants, des paires de vieux patins à glace en bois et une multitude de bibelots amusants.

John's Fiets Inn

Nieuwe Kerkstraat, 84 (C3)
☎ 623 06 66
**Lun. 14h-18h, mar.-ven.
9h-18h, sam. 10h-16h.**

Rose bonbon, couleur léopard, avec un panier pour transporter votre bambin ou votre chien-chien, c'est ici que vous ferez des affaires en matière de bicyclette. Les vélos hollandais Gazelle, Union, et Burco sont presque à moitié prix, c'est-à-dire que vous trouverez un bon vélo à partir de 70 € et un excellent entre 200 et 300 €. Les vélos pour dames sont plus chers… et oui ! Vous aurez ici la garantie d'acheter un véritable et solide vélo made in Holland avec rétropédalage.

Laura Dols en de Verkleed Komeet

Wolvenstraat, 7 (B2)
☎ 624 90 66
**Lun.-sam. 11h-18h, dim.
14h-18h.**

Les nostalgiques de la mode des années 1940 et 1950 trouveront ici de quoi s'habiller de pied en cap. De la belle combinaison en satin de soie au chapeau à voilette

avec gants et sac assorti, le choix est immense et les prix très mini (sac en croco à 13,60 €, chapeau à 11,35 €). Plein d'idées de cadeaux, comme le nécessaire de toilette dans une valisette en chevreau, de superbes bijoux fantaisie ou encore des lunettes de soleil avec monture en écaille.

Second Best

Wolvenstraat, 18 (B2)
☎ 422 02 74
**Lun. 13h-18h, mar.-ven.
11h-18h, sam. 11h-18h.**

Les ensembles Armani, Ted Lapidus, Versace, Sine qua non… sont au quart de leur prix neuf ! Très grand choix de pantalons de 17 à 31, 50 €.

Second Line

Herengracht, 404 (B3)
Mer.-sam. 11h-18h.

Le même principe que Second Best dans cette boutique spécialisée en vêtements griffés… pour hommes.

Zipper

Huidenstraat, 7 (B3)
☎ 623 73 02
**Lun.-sam. 11h-18h, jeu.
jusqu'à 21h, dim. 13h-17h.**

Belle sélection de vêtements pour les 20-30 ans à des prix fous. Jeans à peine élimés, chemises molletonnées à carreaux, vestes en cuir « aviateur », petites robes à fleurs ou pantalons à pattes d'ef'. Vous pourrez vous faire chez Zipper un total look seventies pour presque rien. Évidemment il vaut mieux aller voir ailleurs si vous avez plus de 40 ans.

Sortir mode d'emploi

Que vous soyez un amateur de musique ancienne ou un noctambule fou, Amsterdam répondra à toutes vos attentes. Hiver comme été, l'animation se concentre autour de trois quartiers.

La Leidseplein où abondent restaurants, théâtres, bars et clubs de jazz est fréquentée par un public jeune et plutôt sage. À proximité de la gare, le quartier rouge avec ses néons, ses femmes en vitrine, ses bars louches et ses innombrables sex-shops vit toute la nuit, attirant une foule interlope de touristes voyeurs ou en perdition, dealers et consommateurs. Mais le vrai cœur de la nuit amstello-damienne bat autour de la Rembrandtplein. C'est là que se trouvent les bars les plus branchés, les boîtes de nuit les plus excentriques, la faune la plus délirante, où se croisent les gays et le gratin d'Amsterdam venu s'encanailler, les étudiants et les étrangers. On y danse toute la nuit au son tonitruant de la techno ou de la house music.

Dès les beaux jours, la musique envahit les rues, donnant lieu à une série de manifestations le plus souvent gratuites. Fanfares improvisées, concerts rock, pop et jazz en plein air en particulier au Vondelpark et à l'Amsterdamse Bos. La musique symphonique et lyrique prend aussi le large, s'ancrant sur des barges le long des canaux ou investissant les courettes du Jordaan.

SE REPÉRER

Nous avons indiqué à côté de chacune des adresses des chapitres Séjourner, Shopping et Sortir leur localisation sur le plan situé à la fin de ce guide.

LES CAFÉS

À partir de 20h, la bière et l'alcool y coulent à flots. Ouverts tous les jours jusqu'à 1h, les vendredis et samedis jusqu'à 2 ou 3h, les cafés constituent la sortie préférée des Amstellodamiens qui s'y retrouvent, toutes catégories sociales confondues. Bistrot de quartier pour les habitués où l'on pousse parfois la chansonnette, café brun où l'on savoure des bières fortes accompagnées de genièvre, café branché où se retrouvent les jeunes avant de faire une virée en discothèque, *coffee shop* pour les amateurs d'herbe, bar gay où le cuir est de mise, le choix est multiple et rien ne vous empêche de passer d'une ambiance à l'autre : ces lieux se côtoient et l'accueil sera chaleureux partout quel que soit votre look.

LE LOOK NOCTURNE À AMSTERDAM

Inutile de vous encombrer d'une garde-robe chic pour sortir à Amsterdam. L'ambiance est partout très décontractée y compris dans les endroits les plus prestigieux comme le Musiektheather et le Concertgebouw. Même si les aînés en profitent pour sortir leurs toilettes et leurs costumes sombres, c'est loin d'être la règle pour y être admis. Même la cravate n'est pas de rigueur au casino à partir du moment où vous n'êtes pas en short et baskets. Quant aux boîtes de nuit branchées, plus le look est original, amusant et déshabillé, plus on a de chances d'être admis par le videur.

DISCOTHÈQUES ET BOÎTES DE JAZZ

Si les discothèques ouvrent leurs portes dès 23h, ne vous attendez pas à y trouver une ambiance très chaude de si bonne heure. Avant d'aller dans leur boîte préférée, les Amstellodamiens font une virée dans les cafés, s'y rendent vers 1h et font généralement la fermeture (4h en semaine et 5h vendredi et samedi). Le droit d'entrée varie de 4 à 15 € selon les jours et le standing. Il inclut parfois le montant d'une carte de membre, ce qui, somme toute, vous permettra d'y revenir. La musique bat son plein dans les jazz-clubs et les cafés-concerts dès 21h. Leur accès est libre à condition d'y consommer. Concerts de rock, pop, worldmusic, musique classique et de chambre, théâtre, danse, opéra, cabaret ont lieu toute l'année dans des

lieux aussi variés que majestueux. Pour s'y retrouver dans les centaines de manifestations qui se déroulent chaque semaine, regardez les affiches et consultez le mensuel *Uitkrant* édité par l'AUB disponible dans les librairies, cafés et offices de tourisme. Bien que rédigé en néerlandais, il offre un agenda complet des manifestations culturelles. Le supplément gratuit *Pop & jazz Uitlijst* qui paraît deux fois par semaine vous dit tout sur les concerts rock, blues et jazz et les soirées dans les boîtes de nuit. Le *What's on*, publié chaque mois en anglais par le VVV donne une information au jour le jour sur les principales manifestations musicales et théâtrales ainsi que sur les ballets. Il est distribué gratuitement dans tous les bons hôtels.

SPECTACLES

Si les concerts de musique baroque, les opéras et les ballets les plus prestigieux affichent souvent complet des semaines à l'avance, il est fréquemment possible d'obtenir des places la veille,

voire le jour même mais il ne faut pas s'attendre à être très bien placé. À moins de vous décider en dernière minute, inutile de vous rendre à la salle de spectacle pour réserver vos billets. La centrale de réservation AUB *(Amsterdams Uit Buro)* Leidseplein, n° 26, près du Stadschouwburg, est ouverte du lundi au samedi de 10h à 18h (jusqu'à 21h le jeudi) et le dimanche de 12h à 18h. La commission de 2 € est la même qu'aux guichets des salles de spectacle et toutes les cartes de crédit sont acceptées. Attention ! la prévente pour le jour même s'arrête à 17h. Au-delà, il faut se rendre sur place où des billets sont vendus jusqu'à une heure avant la représentation. Les places réservées et payées sont remises en vente si vous n'avez pas retiré votre billet une heure avant le spectacle.

RÉSERVER UN SPECTACLE PAR TÉLÉPHONE

Si vous avez une carte de crédit, il vous est également possible de faire une réservation via la Uitlijn, soit en allant sur le site www.uitlijn.nl (commission de 2,50 € par ticket), soit en appelant le ☎ 0900 0191 (0,40 € la min) T. l. j. 9h-21h (commission de 3 € par ticket). Les bureaux du VVV s'occupent aussi des réservations à condition de se rendre sur place (Leidseplein, 106 ou Stationplein, 10).

CONCERTS, THÉÂTRE, CABARET, OPÉRA ET DANSE

Concertgebouw

Concertgebouwplein, 2-6 (B4)
☎ 573 05 73
Réservation t. l. j. 10h-19h
☎ 675 44 11 pour vous informer sur les places disponibles dans les 24h
Concerts à 20h15 ou 20h30.

Renommé pour la qualité de son acoustique, il est le siège de l'Orchestre royal néerlandais dirigé par Riccardo Chailly. Dans ce temple de la musique classique se produisent les plus grands ensembles de musique ancienne, surtout baroque.

Bourse de Berlage

Beursplein, 1 (F5)
☎ 035 692 22 62
www.amsterdamsymphony.com
Prix des places : 25 €.

Siège de l'Orchestre philharmonique néerlandais et de l'Orchestre national de musique de chambre qui se produisent désormais plutôt au Concertgebouw (www.orkest.nl), la Bourse accueille en permanence l'Orchestre symphonique d'Amsterdam. Les concerts de cette nouvelle formation de 70 musiciens

dirigés par Peter Sánta ont pour cadre la prestigieuse Grote Zaal de 1 200 places.

Muziektheater

Amstel, 3 (F6/G6)
☎ 551 89 11
Réservation : ☎ 625 54 55
Prix des places : danse 12,50 à 30 €, opéra 25 à 70 €
Spectacles : 19h30, 20h, 20h15 ; dim. 13h30 ou 14h.

Le nouveau complexe du Stopera inauguré en 1988 peut accueillir 1 600 spectateurs. Le Ballet national et le Nederlands Opera y sont à demeure donnant des représentations assez éclectiques, du classique aux nouvelles créations.

Stadsschouwburg

Leidseplein, 26 (B3)
☎ 523 77 00
Réservation : ☎ 624 23 11
Prix des places : de 9 à 35 €.

Des compagnies néerlandaises et étrangères (y compris françaises) y donnent des représentations théâtrales, lyriques et de danse contemporaine.

Koninklijk Theater carré

Amstel, 115-125 (F6/G6)
☎ 524 94 42

☎ **0900 25025 0255**
(Réservation : 9h-21h)
Spectacles à 20h et 15h (cirque).

Depuis 1887, dans une ancienne salle de cirque, il sert de cadre à des représentations à grand spectacle qui peuvent être musicales, lyriques ou de cirque.

Nieuwe de la Mar Theater

Marnixstraat, 404 (B3)
☎ **530 53 02**
www.nieuwedelamar.nl
Prix des places : 10 à 20 €
Spectacles à 15h et 20h15.

Outre les spectacles de cabaret, il est spécialisé dans les représentations de musique et de danse populaire du monde entier.

De Ijsbreker

Weesperzijde, 23 (D4)
☎ **693 90 93**
Rés. lun.-ven. 13h-17h.

Fief des pionniers de la musique contemporaine (John Cage, Mauricio Kagel, Salvatore Sciarrino, Georg Katzer), cette salle en bordure de l'Amstel propose des concerts d'accordéon, de musique électronique et différentes polyphonies expérimentales.

KIT Tropentheater

Linnaeusstraat, 2 (E3)
☎ **568 85 00**
www.kit.nl/tropentheater

Attaché au musée des Tropiques, ce petit théâtre se qualifie lui-même de podium des cultures non occidentales. Troubadours du Sud marocain, musique classique arabe, musique indienne, théâtre et danse d'Asie et d'ailleurs sont au programme.

Felix Meritis

Keizersgracht, 324 (B3)
☎ **623 13 11**
Spectacles à 20h30.

Pour ceux qui comprennent l'anglais, des pièces d'avant-garde sont données dans le cadre prestigieux de ce théâtre fondé en 1787. Il y a également des spectacles de danse moderne et des concerts de jazz et de musique classique.

Nieuwe Kerk

Dam (B2)
☎ **626 81 68**
Entrée : dim. 6 €, jeu. 3 €.

De juin à fin août sont organisés tous les dimanches à 20h et les jeudis à 12h30 des concerts d'orgue dans le cadre grandiose de la Nouvelle Église : Bach, Purcell, Buxtehude…

La musique classique s'écoute aussi au Vondelpark, dans les églises anglaise et wallonne du Béguinage, le musée van Loon, le cloître de Béthanie, la grande salle du Tropenmuseum…

UNE PROMENADE NOCTURNE DANS L'AMSTELVELD, LE « CHAMP DE L'AMSTEL ».

Autour de la turbulente Rembrandtplein, où se trouvent de nombreux bistrots, animés tard dans la nuit, cette balade permet de longer les canaux et de se promener sur les bords de l'Amstel, la rivière à laquelle la ville doit son nom. Une bonne occasion de découvrir Amsterdam de nuit : l'animation sympathique des cafés et la poésie tranquille des canaux silencieux.

DÉPART SUR REMBRANDTPLEIN

L'ancienne place, où se tenait le marché au beurre, n'a pris son nom actuel qu'à la fin du XIXe s. lorsqu'on éleva au milieu la statue en bronze dédiée au célèbre artiste du Siècle d'or. Pendant l'été, les terrasses débordent de consommateurs et les orchestres se font écho d'un côté à l'autre de la place.

Quittez cette agitation en suivant l'Amstelstraat jusqu'au pont Bleu (Blauwbrug).

LES RIVES DE L'AMSTEL

Ce n'est pas sur un canal que vous débouchez mais sur les rives de l'Amstel, rivière aujourd'hui endiguée puisque son cours se trouve en dessous du niveau de la mer. Le pont Bleu (voir p. 51), doit son nom au pont de bois, de couleur bleue, qui traversait l'Amstel à cet endroit. L'ouvrage d'art que vous voyez aujourd'hui date de la fin du XIXe s. Ses candélabres ouvragés reposent sur des bases sculptées où l'on reconnaît des

proues de navires. On longe le quai en direction du sud.

Trois cents mètres plus loin, on arrive au pont Maigre *(Magere Brug)*, un des derniers pont basculant de la ville et le préféré des Amstellodamiens. Il a été un peu élargi au cours de la rénovation de 1969, mais sa silhouette n'a guère changé. Elle est reconnaissable la nuit grâce aux lumières qui soulignent ses arches ainsi que les bras de ses balanciers.

KOKADORUS ET AMSTELKERK

Traversez Utrechtsestraat et poursuivez le long du canal des Princes jusqu'à la petite place où se trouve la statue de Kokadorus, un célèbre bonimenteur qui avait son étal sur le petit marché qui se tenait ici au début du XXe s. Juste à côté vous pouvez voir l'église Amstelkerk, la plus vieille église en bois d'Amsterdam. Construit à titre provisoire, ce sanctuaire ne fut jamais remplacé par un bâtiment « en dur » car les collectes de fonds organisées par le clergé restèrent toutes insuffisantes.

Retournez à Utrechtsestraat en passant par la Kerkstraat. À son extrêmité, on voit déjà briller les lumières de Rembrandtplein.

LE CANAL DES PRINCES

Continuez de longer l'Amstel jusqu'au canal des Princes (Prinsengracht) que vous suivez à droite. Alors que le quai de la rivière est assez passant et animé, on entre tout d'un coup dans un univers beaucoup plus calme qui paraît presque complètement endormi.

Les Hollandais n'ont pas le même sens de l'intimité que nous, et bien des fenêtres sans volets sont dépourvues de rideaux. Même si vous n'avez pas un tempérament de voyeur, profitez-en pour jeter un coup d'œil sur les intérieurs éclairés, souvent décorés avec beaucoup de goût. Cette balade de nuit permet aussi de mieux apprécier certains traits de l'architecture des maisons amstellodamiennes.

à la faveur de l'obscurité, alors que les fenêtres sont éclairées, remarquez, par exemple, comme les surfaces vitrées sont importantes, souvent plus que les murs eux-mêmes. C'est que le soleil est ici plus rare que chez nous. De la même façon, pour profiter au mieux de la lumière, les fenêtres affleurent sur les murs, alors que chez nous elles sont souvent placées dans un profond renfoncement.

CAFÉS

De Engelbewaarder

Kloveniersburgwal, 57
(F6/G6)
☎ 625 37 72
T. l. j. 12h-1h (3h le w.-e.).

Une atmosphère très détendue
dans ce café sympa très fréquenté
par les gens de la presse. Le
dimanche est le jour des amateurs de jazz qui viennent écouter des jam-sessions l'après-midi.

De Twee Zwaantjes

Prinsengracht, 114 (B2)
☎ 625 27 29
Jeu. 10h-1h, ven. 10h-3h,
sam. 15h-3h, dim. 15h-1h
(musique live ven.-dim.
à partir de 22h).

Un café brun typique du Jordaan,
ancien rendez-vous des brasseurs
et des portefaix du quartier. *Live-
music* le week-end quand ce ne
sont pas les clients qui chantent.
Public mélangé et ambiance
très «Jordaan», c'est-à-dire
populaire et drôle.

Dulac

Haarlemmerstraat, 118 (B1)
☎ 624 42 65
T. l. j. 16h-1h (3h le w.-e.).

À proximité de la gare centrale,
voici un grand café qui mêle
savamment Art déco et néogothique, et où se produisent des
groupes de jazz le samedi
soir et le dimanche après-midi.

Mulligan's

Amstel, 100 (F6/G6)
☎ 622 13 30
Lun.-ven. 16h-1h, sam.-dim.
14h-3h.

Atmosphère très hot et alcoolisée
dans ce pub irlandais où se produisent des groupes de musique
celtique le week-end. Il y a évidemment beaucoup d'Irlandais!

Café Cox

Marnixstraat, 429 (B3)
☎ 620 72 22
T. l. j. 16h-1h (2h ven.-sam.).

C'est la cantine des comédiens
et des directeurs du Stadschouwburg. La cuisine est ouverte
jusqu'à minuit et demi.

De Balie

Kleine Gartmanplantsoen, 10
(B3)
☎ 553 51 30
T. l. j. 11h-1h.

Près de la Leidseplein, c'est le
grand café favori des noctam-
bules du coin après le cinéma
et le théâtre, ou avant la discothèque. Petite restauration
jusqu'à 1h.

Van Puffelen

Prinsengracht, 375 (B3)
☎ 624 62 70
Lun.-ven. 15h-23h, sam.-
dim. 12h-23h.

Ambiance feutrée, éclairage aux
chandelles et pour les petites
faims, des plats italo-français.

Museum

Linnaeustraat, 29 (E3)
☎ 665 09 56
Lun.-jeu. 12h-1h, ven.-sam.
12h-2h.

Près du Tropenmuseum, un
nouveau café-restaurant super
sympa ouvert par Cor Hameleers,
musicien-artiste amoureux

de la Bretagne. Bons plats du jour (de 10,50 à 15 €) servis à partir de 18h30, et ambiance conviviale.

POP, ROCK, BLUES & JAZZ CLUBS

Alto Jazz Café

Korte Leidsedwarsstraat, 115 (Leidseplein – B3)
☎ 626 32 49
T. l. j. 21h-2h (4h le w.-e.).

Une boîte de jazz où se produisent des groupes différents tous les soirs. Jam-session très animée le mercredi avec Hans Dulfer, un pilier du jazz à Amsterdam. C'est Hein van der Haag qui est au piano le lundi.

Bimhuis

Oudeschans, 73-77 (G6)
☎ 623 13 61
www.bimhuis.nl
F. juil.-août.

Le temple du jazz où se produisent les plus grands jazzmen internationaux. Jam-sessions les lundis, mardis et vendredis. Concerts payants du jeudi au samedi (12 à 14 €).

Cruise Inn

Zuiderzeeweg, 29 (HP)
☎ 692 71 88
Ven.-dim. 20h-1h.

Dans le quartier de Schellingwoude, les fous du bon vieux rock'n roll des fifties s'y retrouvent tous les samedis soir pour danser de manière acrobatique.

Paradiso

Weteringschans, 6-8 (B3)
☎ 626 45 21 (horaires variables, se renseigner).

Autre temple des hippies où l'on écoutait de la musique indienne dans les volutes d'encens et de marijuana, cette église désaffectée est devenue une salle de spectacle où l'on peut entendre aussi bien de la musique classique moderne, les roucoulements des mariachis mexicains, de l'électronique, du funk, du jazz et de la salsa. Soirées VIP le vendredi et *paradisco* le samedi pour ceux qui veulent encore y danser.

Café Bourbon Street

Leidsekruisstraat, 6 (B3)
☎ 623 34 40
T. l. j. 22h-4h (5h ven.- sam.)
Entrée payante le samedi (2,50 €).

Un jazz club avec niveau sonore très élevé et fréquentation maximale le week end. Jam-session tous les lundis à 22h30 et concerts de blues, rock et funk les autres soirs à partir de 22h.

't Geveltje

Bloemgracht, 170 (B2)
☎ 623 99 83
T. l. j. 19h-1h, ven.-sam. jusqu'à 2h.

Au cœur du Jordaan, un petit café brun où se produisent les professionnels du jazz depuis vingt-cinq ans. Jam-session le lundi et le vendredi à 21h, concert de world music le mercredi à 20h.

De Badcuyp

1e Sweelinckstraat, 10 (C4)
☎ 675 96 69
T. l. j. sf lun. 18h-1h (2h le w.-e.).

Un café-théâtre alternatif dans le nouveau quartier branché Albert Cuyp pour danser et écouter de la musique live tous les soirs. Jazz latino ou africain le samedi, jam-session tous les dimanches, salsa le mercredi, concerts de world music le jeudi, invité surprise le vendredi. On sert de la petite restauration jusqu'à 22h.

Zuiderbad

Hobbemastraat, 26 (B4)
☎ 678 19 90
Concerts à 20h
Entrée payante : 12,50 €.

Cette belle piscine Art déco sert de cadre un samedi par mois à des concerts de jazz organisés par le pianiste Polo de Haas. On peut en profiter pour piquer une tête puisque la sonorisation est prévue aussi sous l'eau !

Melkweg

Kleine Lijnbaansgracht, 234A (B3)
☎ 531 81 81
www.melkweg.nl
Horaires variables, se renseigner.

Signe des temps, cette ancienne laiterie près de la Leidseplein qui fut le haut lieu de la pop-music des seventies et le rendez-vous des hippies a bien changé de look. Films, concerts pop et worldmusic, théâtre d'avant-garde et même un restaurant sont ses nouvelles activités. Pour les nostalgiques, la discothèque fonctionne encore le w.-e. avec différents DJ's qui animent les soirées à thème.

Blitz

Reguliersdwarsstraat, 45 (F6)
☎ 622 66 82.

Un grand bar en aluminium doublé d'une piste de danse à l'étage, où se rencontrent les yuppies d'Amsterdam et d'ailleurs autour de cocktails explosifs d'eau-de-vie flambant dans les verres. Bons DJ's le samedi.

Bamboo Bar

Lange Leidsedwarsstraat, 66 (B3)
☎ 624 39 93
T. l. j. 21h-3h, ven.-sam. jusqu'à 4h.

Dans un décor tropical, des cocktails détonants et une bonne musique house et hip-hop mixée par des DJ's.

DISCOTHÈQUES

It

Amstelstraat, 24 (G6)
☎ 625 01 11
Jeu.-dim. 23h-4h (5h ven.-sam.).

La plus extravagante des boîtes amstellodamiennes où, une fois la porte franchie, il faut oublier toute inhibition. House music et ambiance très hot où le *fancy dress* déshabillé est de mise. Rassurez-vous, vous pouvez aussi simplement y danser. Les samedis sont réservés aux gays.

More

Rozengracht, 133 (B2)
☎ 528 74 59
Mer. 22h-4h, jeu.-sam. 11h-5h, dim. 17h-minuit.

À l'étage, une grande salle tapissée de miroirs et de voiles, où l'on mange allongé sur des lits, une cuisine métissée sur fond de musique arabo-jazzy. En sous-sol, une des boîtes les plus

trendy du moment avec soirées à thème animées par d'excellents DJ's. Mercredi, soirée gay, jeudi deep house et techno, vendredi, airs latino, groovy et funky ; et samedi, Club Risk. Consultez leur site www.expectmore.nl

Supperclub

Jonge Roelensteeg, 21 (F6)
☎ 344 64 00
www.supperclub.nl
Dim.-jeu. 20h-1h, ven.-sam. 20h-2h30
(4h pour le club).

Réservez une table dans ce dernier lieu à la mode où la cuisine-spectacle (menu à 60 €) est une expérience sensuelle intégrale. Pieds nus, allongés sur des lits, vous aurez la surprise d'un massage shiatsu ou d'une soirée techno ainsi que des plats portés par des serveurs cracheurs de feu. La réservation au restaurant permet d'accéder au club Lounge (réservé aux membres le week-end).

Odéon

Singel, 460 (F6)
☎ 624 97 11
Jeu.-dim. 22h-4h (5h ven.-sam.).

Dans une maison patricienne très cosy aux plafonds peints et grands miroirs se retrouve la jeunesse BCBG d'Amsterdam. Pour goûter à différentes ambiances selon l'humeur : jazz à la cave, vieux machins au premier étage et DJ dans la salle des glaces.

Escape-Chemistery

Rembrandtplein, 11 (F6)
☎ **622 11 11**
Mer.-dim. 23h-4h
(5h ven.-sam.).

Une giga-disco surtout fréquentée par des ados. L'ambiance dépend de la programmation du DJ mais on est plutôt entre le rap et le smurf, voire dans la house très commerciale. Plus de 30 ans s'abstenir !

Mazzo

Rozengracht, 114 (B2)
☎ **626 75 00**
Jeu.-dim. 23h-4h
(5h ven.-sam.).

Ambiance très décontractée pour un public jeune qui apprécie la danse urbaine : rap, hip-hop, acid et techno. Des groupes londoniens donnent des concerts le vendredi.

Havana

Reguliersdwarsstraat, 17-19 (F6)
Ouv. 21h-1h (2h ven.-sam.).

Pour boire, discuter, faire des rencontres et danser, un harboîte où se retrouvent les gays, *afterdinner* jusqu'à 1h ou 2h le week-end.

Panama

Oostelijke Handelskade, 4 (E2)
☎ **311 86 86**
www.panama.nl
Mer.-jeu. 18h-3h,
ven.-sam. 18h-minuit.

Dans le nouveau quartier branché des anciens docks de l'IJ, un bâtiment industriel transformé en lieu multiculturel avec res-

taurant de cuisine méditerranéenne (ouv. jusqu'à 1h30 les ven. et sam.), studio de tango, cocktail bar et nightclub où les soirées à thème du jeudi au dimanche sont plutôt latinos et jazz.

Club Arena

's Gravesandestraat, 51 (F5)
☎ **694 74 44**
Ven.-sam. 22h-3h.

Nouvelle boîte très populaire pour public jeune dans la chapelle décorée à fresque d'un ancien orphelinat de 1890. Sur deux étages avec ambiance différente, tubes des années 1960 et 1970 les 1er et 3e sam. du mois, années 1980 et 1990, les 2e et 4e samedis.

Soul Kitchen

Amstelstraat, 32 (G6)
☎ **620 23 33**
Ven.-dim. 23h-4h.

Pour les fans de la musique des sixties et seventies : soul, funk, jazz dans un très beau cadre. Carte de membre exigée.

Sinners in Heaven

Wagenstraat, 3-7 (G6)
Jeu.-dim. 22h-3h.

Un curieux décor sur trois étages entre chapelle et château fort dans cette petite boîte où l'on va pour faire des rencontres avant de partir en piste dans les autres discothèques de la Rembrandtplein. Au programme house et techno.

Winston International

Warmoestraat, 129 (F6/G6)
☎ **623 13 80**
Ven.-dim. minuit-4h, lun.-jeu. 20h-3h.

Animation différente tous les soirs avec le vendredi, soirée dizzy mixée par le DJ Polack ; samedi Night Fever du DJ G. Bean ; dimanche, Club Vegas avec *dress code* différent selon les thèmes et le lundi ; the Big F consacré à un mixte food (plat végétarien), *fashion, friends & fun*.

Les musts touristiques

Voici une sélection des 11 plus beaux sites d'Amsterdam.
À ne manquer sous aucun prétexte.

1 OUDE KERK

Une église aux styles mélangés,
dont les carillons animent la
vie des habitants. Pensez à
vous rendre au sommet du
clocher pour profiter d'une vue
privilégiée sur la ville.

3 AMSTERDAMS HISTORISCH MUSEUM

Un musée passionnant pour
tout savoir de l'histoire de
cette ville tournée vers de
lointains horizons.

2 NIEUWE KERK

Une « Nouvelle Église » (XVe s.) pour Amsterdam.
Vitraux émaillés, chaire en acajou et autres trésors…
Un cadre exceptionnel pour les cérémonies et manifestations
qui s'y déroulent.

4 AMSTELKRING MUSEUM

Maison bourgeoise
traditionnelle, église vouée à
un culte clandestin au XVIIe s.
Tout un programme pour ce
musée original.

5 MAISON DE REMBRANDT

*Le Christ prêchant, La Pièce
aux cent florins…* autant
d'œuvres majeures ou moins
connues de Rembrandt
à découvrir ici.

8 VAN GOGH MUSEUM

Nuenen, Paris, Arles, Auvers-sur-Oise : partez sur les traces de Van Gogh à travers la plus importante collection d'œuvres regroupée sur ce peintre mythique.

9 HORTUS BOTANICUS

Des épices, des essences rarissimes, des jardins secrets au cœur même de la ville.

6 WILLET-HOLTHUYSEN MUSEUM

De la cuisine au salon bleu, la reconstitution d'un intérieur patricien et une véritable plongée dans le temps.

7 HET SCHIP

Des logements sociaux ludiques imaginés par l'architecte Michel de Klerk, chef de file de l'École d'Amsterdam au début du XXe s.

10 NEDERLANDS SCHEEPVAART MUSEUM

Planisphères, astrolabes, et même une reproduction de trois-mâts... pour les amoureux de la mer et des bateaux.

11 TROPEN MUSEUM

Des reconstitutions, un musée pour les enfants, mais aussi une boutique et un restaurant : un lieu exotique qui vous fera partir sous les tropiques.

1 Oude Kerk

La plus ancienne église d'Amsterdam se dresse depuis 1309 sur le site d'une petite chapelle en bois entourée d'un cimetière. Mélangeant les styles gothique et Renaissance, elle s'est développée en même temps que la ville. En 1566, une partie de ses œuvres d'art sont saccagées par les iconoclastes calvinistes. Même si aujourd'hui son intérieur est d'une grande sobriété, sa décoration, qui évoque constamment le passé maritime de la cité, est fascinante.

COORDONNÉES

Oude Kerk (voir p. 48)
Oude Kerksplein, 23
☎ 625 82 84
Dim. 16h-17h, concerts de carillons.

LE CLOCHER

Construit en 1565 par Joost Jansz. Bilhamer, le clocher gothique de la Vieille Église servait autrefois de point de repère aux marins. Aujourd'hui, les 47 cloches de son carillon, qui fut ajouté en 1658 par François Hemony, rythment la vie des habitants d'Amsterdam. N'hésitez pas à vous rendre en haut de la tour, vous aurez une splendide vue sur la ville.

L'EXTÉRIEUR

Situé au cœur du quartier rouge, le sanctuaire est reconnaissable aux pignons de ses chapelles.
Vous remarquerez également les habitations et les petites

annexes des XVIIe et XVIIIe s., réservées à l'administration ecclésiastique, qui l'entourent. Enfin, ne manquez pas son portail nord de style gothique.

L'INTÉRIEUR

D'importantes restaurations entreprises en 1955 permirent de découvrir les peintures du XVe s. qui ornent le plafond. Parmi les autres trésors présents dans l'édifice, citons la chaire de 1643, les grilles du

chœur (1681), les grandes orgues en chêne (1724) de Jan Westerman et, dans la chapelle de la Vierge, les somptueux vitraux du XVIe s. de Pieter Aertsen représentant l'Immaculée Conception, la Visitation et la Dormition. Plusieurs amiraux hollandais morts au combat reposent dans le sanctuaire. Saskia, la première épouse de Rembrandt, est inhumée depuis 1642 près du chœur.

2 Nieuwe Kerk

COORDONNÉES

Nieuwe Kerk (voir p. 40)
Dam
☎ **638 69 09**
Ouv. pendant les expositions temporaires t. l. j. 10h-18h
Accès payant.

À partir du XVᵉ s., la Oude Kerk (la « Vieille Église ») devient trop étroite pour accueillir tous les croyants d'Amsterdam. La construction de la Nieuwe Kerk (la « Nouvelle Église ») débute en 1408 dans le style gothique flamboyant. Suite à d'importants incendies, le nouveau sanctuaire sera remanié à plusieurs reprises et notamment en 1645 par Jacob van Campen, l'architecte du Palais royal. Depuis 1813, les cérémonies d'intronisation des souverains néerlandais s'y déroulent mais aujourd'hui, il est surtout utilisé pour des expositions, des conférences et des concerts.

LES VITRAUX

Avec plus de 75 fenêtres, il n'est pas étonnant que la Nieuwe Kerk soit réputée pour ses vitraux émaillés. Le plus ancien se trouve dans le transept nord. Dessiné en 1650 par Gerrit Jansz. van Bronchorst, il représente le comte de Hollande, Guillaume IV.

LA CHAIRE DE VÉRITÉ

Réalisée dans de l'acajou par Albert Vinckenbrinck en 1664, ses sculptures représentent la Miséricorde, les Vertus cardinales et les Évangélistes. C'est le résultat de 15 années de travail. À voir absolument !

L'ORGUE

L'orgue qu'a conçu Jacob van Campen en 1645 est réhaussé de ravissantes sculptures en bois d'Artus Quellijn

(le sculpteur du Palais royal) et de peintures de Jan Gerritsz. van Bronchorst qui représentent des scènes de la vie de David.

LES MONUMENTS FUNÉRAIRES

C'est dans la Nieuwe Kerk que reposent les grandes figures de l'histoire des Pays-Bas et notamment les marins du Siècle d'or comme Michiel de Ruyter (1607-1676), amiral hollandais mort en combattant les Français à la bataille de Messine. Remarquez également le tombeau de Joost Van den Vondel (1587-1679), le plus grand poète néerlandais.

3 Amsterdams Historisch Museum

La collection de ce musée retrace à travers des sculptures, des peintures, des cartes et des maquettes le développement d'Amsterdam, de sa fondation au IIIe s. jusqu'au début du XXe s. Il est installé depuis 1975 dans un couvent du XVe s. transformé en 1581 en orphelinat. De nombreuses expositions temporaires sont organisées dans la partie de l'établissement autrefois réservée aux garçons.

LES XIVe ET XVe S.

Le modeste village de pêcheurs situé au bord de l'Amstel se transforme dès le XIVe s. en port commercial. À partir de 1345, la cité accueille des milliers de pèlerins grâce à un miracle survenu dans une maison du centre d'Amsterdam : une hostie jetée dans le feu est retrouvée intacte. C'est ce que vous découvrirez dans la toile de Jacob Cornelisz. van Oostanen intitulée *Le Miracle d'Amsterdam*.

COORDONNÉES

Amsterdams Historical Museum (voir p. 39)
Kalverstraat, 92 ;
Nz Voorburgwal, 359
☎ 523 18 22
Lun.-ven. 10h-17h,
sam. et dim. 11h-17h
Accès payant

AMSTERDAM AU XVIe S.

Dans la salle 1, la gravure sur bois de Cornelis Anthonisz. (1538) vous dévoilera la cité médiévale dans ses moindres détails. La révolte contre les Espagnols est évoquée à travers les portraits de Guillaume d'Orange et de Philippe II d'Espagne.

LE SIÈCLE D'OR

Le développement d'Amsterdam au cours du XVIIe s. est principalement lié à l'activité maritime de la ville. Il était donc normal de consacrer une salle aux expéditions et aux voyages d'exploration. À voir également les maquettes de bateaux de la Compagnie des Indes.

LA SALLE DES RÉGENTS

C'est dans cette pièce du XVIIe s. que les directeurs de l'orphelinat se réunissaient. Vous y découvrirez le mobilier de l'époque ainsi que les armoiries des régents, des portraits et des peintures d'Abraham de Verwer.

LA GALERIE DES GARDES CIVIQUES

Ouverte en 1975, cette galerie vitrée expose des portraits de groupes (XVIe et XVIIe s.) des gardes civiques. Reliant la cour des garçons à celle des filles, elle est accessible à tous pendant les heures d'ouverture du musée.

4 Amstelkring Museum

Cette maison au pignon pointu fut construite en 1663 par le marchand allemand Jan Hartman. La même année, celui-ci fit l'acquisition des deux maisons adjacentes et put ainsi y installer un lieu de culte clandestin connu sous le nom de *Ons' Lieve Heer op Solder* (« le Bon Dieu au Grenier »). En 1888, la fondation privée Amstelkring s'occupa de remettre la demeure en état et de la transformer en musée. Aujourd'hui, on célèbre encore des offices dans l'église et l'on y organise des concerts.

LE GRAND SALON

Il est situé au premier étage et vous y accéderez par un escalier très étroit. Vous y retrouverez tous les éléments caractéristiques du mobilier bourgeois néerlandais du Siècle d'or : un plafond à caissons, le dallage au sol et des portraits de Jacob de Wit (1695-1754).

LA CHAMBRE DU CHAPELAIN

Imaginez ce que devait être l'existence du curé qui vivait clandestinement dans cette modeste chambre située sous la chapelle. Quelques-uns de ses objets personnels (des lunettes, un bréviaire, une pipe et des chaussons) ont été conservés.

COORDONNÉES

**Amstelkring Museum
(voir p. 48)
Oudezijds Voorburgwal, 40
☎ 624 66 04
Lun.-sam. 10h-17h,
dim. 13h-17h
Accès payant.**

L'ÉGLISE

Le propriétaire aménagea en 1663 sous les toits de sa maison bourgeoise une chapelle dédiée à saint Nicolas et destinée aux catholiques alors pourchassés par les protestants. Agrandie en 1735, elle se transforme en une véritable église comprenant un autel de style

baroque en faux marbre surmonté du *Baptême du Christ* (1716) de Jacob de Wit, une chaire, des rangées de chaises et un orgue de 1794. L'office y fut célébré jusqu'à l'édification en 1887 de la Sint Nicolaaskerk. À voir également, des portraits, des gravures, des statues et une collection d'objets de culte en argent.

5 Maison de Rembrandt

Rembrandt fait l'acquisition de cette maison de style Renaissance située dans le quartier juif d'Amsterdam en 1639 pour 13 000 florins. Il y peint des œuvres majeures dont la *Ronde de nuit* (1642), mais en 1658, d'importantes difficultés financières le contraignent à la vendre aux enchères.

En 1998, la maison est entièrement rénovée, décorée et meublée d'après les tableaux du maître et l'inventaire de ses biens dressé lors de la vente. Un nouvel espace aménagé dans la maison voisine permet de montrer la riche collection de 290 gravures ainsi que des expositions temporaires.

Geerbrandt van den Eeckout, Rubens, Ferdinand Bol, etc.) ornent les murs. En façade, la Voorhuys et la Sijdelcaemer sont les pièces où l'artiste exposait les œuvres et recevait ses clients. Dans une petite pièce derrière la Sijdelcaemer était son atelier de graveur avec presse, plaques de cuivre et outils. L'Agtercaemer meublée d'une table, de chaises et d'un lit-clos servait à la fois de salon et de chambre à coucher.

LE SOUS-SOL

Les travaux de restauration ont permis de mettre au jour dans la petite cour située à l'arrière de la maison des objets de l'époque de Rembrandt, tels des pipes en porcelaine, des vases en grès allemands et des majoliques italiennes. On pense que c'est dans cette cour que fut peinte la *Ronde de nuit*. La cuisine dallée de marbre noir et blanc avec la grande cheminée et le fourneau

était la pièce la plus conviviale de la maison. Le lit-clos était celui de la servante Hendrickje Stoffels dont s'éprit le peintre cinq ans après la mort de sa femme Saskia.

LE REZ-DE-CHAUSSÉE

C'est à cet étage que Rembrandt vivait et exerçait son activité de marchand d'art. Des tableaux de ses contemporains hollandais et flamands (Pieter Lastman,

LE PREMIER ÉTAGE

La Kunstcaemer est le cabinet de curiosités où se révèle la véritable personnalité de Rembrandt à la fois peintre de génie, collectionneur et antiquaire. Beaucoup des pièces rassemblées dans cette

COORDONNÉES

Maison de Rembrandt (voir p. 50)
Jodenbreestraat, 4-6
☎ 520 04 00
www.rembrandthuis.nl
Lun.-sam. 10h-17h et dim. 13h-17h ; f. le 1er janv.
Accès payant.

pièce figurent dans ses tableaux ou ses gravures : animaux empaillés, coquillages, bustes d'empereurs romains, médailles, majoliques…
Dans l'atelier vaste et lumineux, encombré d'accessoires pour les mises en scène théâtrale des portraits de groupes corporatifs, flotte l'odeur de térébenthine et d'huile qui servent à lier les pigments broyés sur le marbre. C'est ici que travailla Rembrandt avec nombre de ses talentueux élèves de 1639 à 1658.

LES GRAVURES

Rembrandt maniait aussi bien la pointe sèche et le burin que le pinceau. Les gravures exposées par roulement dans l'entresol et le grenier sont classées selon cinq catégories thématiques : les scènes de genre, les autoportraits – parmi lesquels celui avec sa femme Saskia –, les études de nus, les vues d'Amsterdam et les scènes bibliques. La célèbre estampe *La Pièce* aux cent florins, qui aurait demandé 10 années de travail à Rembrandt, tire son nom d'une anecdote : cent florins est la somme que le peintre aurait dépensé lors d'une enchère pour racheter

une épreuve de l'eau-forte. Après la vente de sa maison, il cessa complètement son activité d'aquafortiste. La modeste maison louée dans le quartier du Jordaan

était trop exiguë pour continuer à pratiquer cet art dans lequel il a excellé pendant plus de 30 ans.

LA TECHNIQUE DE L'EAU-FORTE

Rembrandt a probablement appris cette technique récente auprès de son maître Pieter Lastman. La gravure à l'eau-forte, apparue au début du XVIe s., permet d'obtenir des dizaines de tirages d'une seule œuvre. Une eau-forte se réalise en appliquant sur la plaque en cuivre une couche de vernis résistant à l'acide. Le dessin est creusé au stylet en métal, puis la planche est plongée dans l'acide qui mord les sillons peu profonds. Une fois la couche de vernis ôtée, l'artiste peut éventuellement compléter le dessin en attaquant directement le cuivre à la pointe sèche (lignes douces) et au burin (accentuation des ombres). Après encrage de la plaque, celle-ci est recouverte d'une feuille de papier humide et passée sous presse. Rembrandt a constamment retouché ses plaques en cours de tirage. Par ailleurs, la quantité d'encre appliquée dans les sillons lui permettait de jouer sur les variations de clair-obscur. Les différents tirages à partir d'une même plaque témoignent des différents états de ses eaux-fortes qui sont loin d'être des produits en série.

6 Willet-Holthuysen Museum

Le riche importateur de charbon Pieter Holthuysen habita cette demeure patricienne du XVIIe s. à partir de 1855. Sa fille Sabrina et son époux, Abraham Willet, s'y installèrent à leur tour en l'aménageant selon le style français. En 1895, celle-ci en fit don à la ville d'Amsterdam. Les collections de peintures, de porcelaine, de mobilier et de bibelots que le couple avait constituées permirent d'ouvrir un musée en 1962.

pour 24 convives et assorti à des verres gravés.

LES COLLECTIONS

Vous y arriverez en empruntant un imposant escalier datant de 1740. La collection d'argenterie se compose essentiellement de pièces des XVIe et XVIIe s. Tout aussi surprenant, un cabinet de collectionneur tel qu'on pouvait le voir au XIXe s. qui a été reconstitué grâce à un impressionnant fonds de tableaux. Enfin, le salon des antiquités est aménagé dans le style de la Renaissance hollandaise.

LA CUISINE

Située au sous-sol, elle fait partie des pièces du musée qui ont été restaurées dans le style du XVIIIe s. Tous les éléments ont été réunis pour que la reconstitution soit parfaite : ustensiles en cuivre, évier en granit, pompe et carreaux de faïence ornés d'oiseaux exotiques…

LE SALON BLEU

Cette pièce aux murs recouverts de damas était exclusivement réservée aux hommes. Vous y découvrirez au-dessus de la cheminée une peinture en trompe l'œil représentant une scène de chasse de Jacob de Wit

COORDONNÉES

Willet-Holthuysen Museum (voir p. 57)
Herengracht, 605
☎ 523 18 22
Lun.-ven. 10h-17h,
sam. et dim. 11h-17h
Accès payant.

(1695-1754) et des porcelaines dont des vases chinois de la dynastie des Qing (1662-1722).

LA SALLE À MANGER

Dans un décor fastueux illuminé par des tentures murales en soie claire, vous pourrez admirer dans la salle à manger un service de table de Meissen de 275 pièces prévu

7 Het Schip

Trois complexes de logements sociaux du quartier de Spaarndam furent construits de 1917 à 1921 par l'architecte Michel de Klerk. Le plus original d'entre eux, destiné aux ouvriers des chantiers navals, fut nommé le vaisseau (*het schip*) en raison de la forme triangulaire du bâtiment dominé par une tourelle élancée. L'ancien bureau de poste et deux appartements hébergent le nouveau musée consacré au mouvement architectural « École d'Amsterdam ».

COORDONNÉES

Het Schip
(voir p. 12)
Spaarndammerplantsoen, 140
☎ 418 28 85
www.hetschip.nl
Mer., jeu. et dim. 14h-17h ou sur r.-v.
Bus 22 (terminus)
Circuits en français dans le quartier sur demande.

L'ÉCOLE D'AMSTERDAM

La loi contre le logement insalubre de 1901 donne l'impulsion pour toute une série de constructions à caractère social financées par des coopératives après la guerre. Michel de Klerk (1884-1923) est le fondateur d'un mouvement d'architecture expressionniste qui s'oppose au fonctionnalisme prôné par Berlage. À l'acier et au verre, il préfère les matériaux artisanaux dont la brique et le bois qui lui permettent de jouer sur les variations chromatiques.

LE MUSÉE

Le 12 mars 1921 s'ouvrait ce bureau de poste conçu dans le même esprit social que les logements. C'est le seul intérieur dessiné par de Klerk qui ait conservé sa décoration d'origine. Les restaurateurs ont mis au jour la première couche de peinture à l'huile assortie aux carreaux de faïence bleu lavande. Les guichets en bois et fer ainsi que le mobilier manifestent un souci du détail dans cet espace à la fois fonctionnel et beau. Ainsi la cabine de téléphone comporte une double porte pour préserver l'intimité et les fils téléphoniques sont camouflés dans les plombs des vitraux. L'exposition multimédia « Poste restante » (en français) consiste en 10 interviews sur l'œuvre de M. de Klerk et les réalisations de l'École d'Amsterdam, notamment dans le quartier du Pijp (voir p. 68).

LE LOGEMENT

Sous la tour, deux appartements à deux chambres rénovés d'après documents avec mobilier, papiers peints et tissus d'origine témoignent du désir de cet architecte communiste de bâtir des « palais pour les travailleurs ». La cuisine est à l'ouest pour profiter de la lumière du soir durant le seul repas en commun, une banquette est aménagée près de la cheminée, la vue est dégagée vers un jardin ou un parc. La charpente de la tour est extraordinaire !

8 Van Gogh Museum

La plus importante collection d'œuvres de
Vincent Van Gogh est regroupée dans ce musée.
Ouvert au public en 1973, il expose plus de deux
cents tableaux et cinq cent cinquante dessins du
peintre. Toutes les périodes artistiques, de la période
hollandaise de l'automne 1883 à l'été 1890
à Auvers-sur-Oise, y sont représentées. Des toiles
de Gaugin et de Toulouse-Lautrec, contemporains
et amis de Van Gogh, ont également trouvé
leur place dans ce musée.

NUENEN

De ces deux années passées aux
Pays-Bas dans la maison
paternelle (déc. 1883-
nov. 1885), il faut retenir
*Les Mangeurs de pommes
de terre* (1885). Cette toile
répond au désir de Van Gogh
de peindre la vie des paysans
et de mettre en scène
la misérable condition
de l'homme. Dans cet intérieur
obscur, seule une petite flamme
permet de distinguer le décor
et le visage des personnages.

PARIS

Lors de son séjour à Paris
(1886-1888), Van Gogh va
rencontrer les impressionnistes
Monet et Degas. À cette
époque, il peint des paysages,
des natures mortes,
des bouquets et plusieurs
autoportraits (dont
*Autoportrait au chapeau
de paille*) dans lesquels
les couleurs s'intensifient
sensiblement.

ARLES

Il s'agit incontestablement de
la période la plus productive
du peintre : près de
200 peintures et plus de
100 dessins de février 1888
à mai 1889. La nature qui
l'entoure devient le principal
sujet de ses toiles. L'artiste
se réjouit de la qualité de la
lumière provençale et le jaune
devenu le symbole de la foi
et de l'espérance inonde ses
tableau comme ses célèbres
Tournesols ou *La Maison
de Vincent à Arles*.

AUVERS-SUR-OISE

Malgré un séjour à l'asile de
Saint-Rémy, l'état de santé de
Van Gogh se dégrade. Sur les
conseils de son frère, il part
se refugier aux côtés du
docteur Gachet à Auvers-sur-
Oise. Mais la solitude l'accable,
et le 27 juillet 1890, quelques
semaines après avoir peint des
paysages tourmentés dont le
Champ de blé aux corbeaux,
il se tire une balle dans la tête.

COORDONNÉES

**Van Gogh Museum
(voir p. 62)
Paulus Potterstraat, 7
☎ 570 52 91
T. l. j. 10h-18h, f. 1er janv.
Accès payant.**

9 Hortus Botanicus

COORDONNÉES

Hortus Botanicus
(voir p. 64)
Plantage Middenlaan 2A
☎ **625 90 21**
www.hortus-botanicus.nl
Lun.-ven. 9h-17h, sam. et
dim. 11h-17h; f. 1er jan.
et 25 déc.
Accès payant.

C'est une merveilleuse oasis où se côtoient essences tropicales et désertiques, jardin zen et jardin des simples, fleurs de saison et plantes rares. Des visites à thème permettent de découvrir les nombreux arbres exotiques acclimatés ici dès le XVIIe s. ou encore de bénéficier de conseils pour soigner vos plantes. Ne manquez pas la floraison nocturne d'une variété de nénuphar géant du Brésil, le *Victoria amazonica*, qui ne fleurit que deux nuits par an !

DES PLANTES MÉDICINALES AUX ÉPICES

En 1682, on transfert dans le nouveau quartier du Plantage l'Hortus Medicus, petit jardin d'herbes médicinales créé par la faculté de pharmacie en 1638. Un parterre en

hémicycle donne une idée de l'aspect original du jardin où les girofliers, canneliers, muscadiers et autres épices ou plantes exotiques rapportées des Moluques par la Compagnie des Indes étaient disposés par espèces.
Les botanistes sélectionnaient les plants les plus robustes pour les acclimater dans leurs colonies, comme c'est le cas pour le café, le tabac ou le palmier à huile.

LA PALMERAIE

Le jardin possède 8 000 espèces différentes de plantes parmi lesquelles une extraordinaire collection de cycas ou deux arbres à pain du Cap-Oriental (*Encephalartos altensteinii*), mâle et femelle, âgés de 300 et 250 ans. Acquis par le roi Guillaume II en 1851, ils figurent parmi les plus anciennes plantes en pot et ont fleuri lors de l'été 1999.
Les grands arbres ont été plantés en majorité en 1895.

L'ORANGERIE

Cette serre construite au XIXe s. pour l'hivernage des variétés de *Citrus*, a servi de salon de conférence pour l'université d'Amsterdam et même de lieu d'exposition de la collection de soixante-deux espèces d'animaux sauvages de Louis Napoléon, éphémère roi de Hollande. C'est aujourd'hui un lieu idéal pour déjeuner au calme ou prendre le thé.

10 Nederlands scheepvaart Museum

COORDONNÉES

Nederlands Scheepvaart Museum (voir p. 65)
Kattenburgplein, 1
☎ 523 22 22
Mar.-dim. 10h-17h,
de juin à sept. également
ouv. le lun.
Accès payant.

Le Musée maritime néerlandais est installé depuis 1981 dans un immense bâtiment de l'ancien arsenal de l'amirauté d'Amsterdam. Construit en 1656 par Daniel Stalpaert face au bassin de l'Oosterdok, il permettait autrefois de stocker toutes les fournitures servant à appareiller les bateaux. L'histoire de la navigation hollandaise y est présentée chronologiquement à travers une collection très complète de maquettes, d'instruments de navigation, de tableaux, de cartes et de globes.

de 1912 utilisé pour la pêche aux harengs, un brise-glace à vapeur et un bateau de sauvetage.

DES RÉPLIQUES ÉTONNANTES

Exposée au rez-de-chaussée, la Chaloupe royale fut construite en 1818 pour Guillaume Ier. L'Amsterdam est la fidèle reproduction d'un trois-mâts du XVIIIe s. de la Compagnie des Indes orientales (VOC) qui s'est échoué en 1749 sur les côtes anglaises. Parmi les autres navires amarrés devant le musée, ne manquez pas le Balder, un lougre à voile

LA CARTOGRAPHIE

Un exemplaire de l'*Atlas Blaeu* de Jan Blaeu (1598-1673) se trouve au premier étage du musée. Publié en 16 volumes à Amsterdam en 1663 pour le compte de la Compagnie des Indes orientales, il symbolise la spectaculaire explosion de la production cartographique des Pays-Bas au XVIIe s. Tout aussi remarquable, un planisphère de 1648 (salle 2) aux tracés parfois approximatifs qui montre les régions encore inexplorées.

LES INSTRUMENTS DE NAVIGATION

Ils sont tous là, des plus anciens aux plus sophistiqués : astrolabes, bâtons de Jacob, chronomètres, radars... Enfin, dans la salle 24, n'oubliez pas d'essayer le périscope qui permet d'avoir un point de vue de 360° sur Amsterdam !

11 Tropenmuseum

Le musée des Tropiques se trouve depuis 1978 dans le bâtiment que les architectes M. A. et J. Nieukerken ont construit en 1926 pour abriter l'Institut colonial hollandais. Les collections qui sont regroupées par continent permettent de se faire une idée de la vie dans les régions tropicales et dans les pays en voie de développement à travers la musique, l'art et la religion tout en soulevant les problèmes que rencontrent ces pays.

LES RECONSTITUTIONS

Dans le grand hall, sous la coupole en verre, des rues et des intérieurs d'habitations traditionnelles ont fait l'objet de reconstitutions très réussies. Vous pourrez ainsi vous promener dans une rue arabe, un marché africain, un souk, un bidonville indien et découvrir une yourte afghane ou une tente de Bédouin en quelques heures seulement.

COORDONNÉES

**Tropenmuseum
(voir p. 65)
Linnaeusstraat, 2
☎ 568 82 15
T. l. j. 10h-17h
Accès payant.**

L'ART

Parmi les objets les plus surprenants, vous retiendrez sûrement les grands mâts rituels Bisj de Nouvelle-Guinée sculptés dans des racines de palétuviers, les pirogues du Pacifique aux étranges motifs et la collection de masques venus d'Afrique, d'Asie et d'Amérique centrale.

LE KINDERMUSEUM

Enfin un musée spécialement créé pour les enfants (de 6 à 12 ans). Au programme : expositions d'objets d'art fréquemment renouvelées, pièces de théâtre, projections de films, spectacles de danse et de musique.

LE VOYAGE CONTINUE...

Pour ne pas oublier ce voyage à travers le monde, pourquoi ne pas vous arrêter à la boutique située au rez-de-chaussée pour ramener un objet artisanal. Pour les gourmands, le restaurant du musée propose toutes sortes de saveurs venues d'ailleurs.

Expressions usuelles

Après-midi : *Namiddag*
Au revoir : *Tot ziens*
Boire : *Drinken*
Bonjour (le matin) :
Goede Morgen
Bonjour (à partir de midi) :
Goede Middag
Bonjour : *Goedendag*
Bonsoir : *Goedenavond*
Manger : *Eten*
Matin : *Morgen*
Merci : *Dank U*
Soir : *Avond*
C'est trop cher :
Het is te duur
Combien cela vaut-il ? :
Hoeveel kost het ?
Comprenez-vous ? :
Verstaat U ?
Excusez-moi : *Sorry,*
Excuseer me
Je ne comprends pas :
Ik versta niet
Je veux : *Ik wil*
Je voudrais : *Ik zou graag*
Parlez-vous français ? :
Spreekt U Frans ?
S'il vous plaît : *Alstublieft*

Espace et temps

À demain : *Tot morgen*
Après : *Na*
Aujourd'hui : *Vandaag*
Avant : *Voor*
Demain : *Morgen*
Encore : *Nog*
Heure : *Uur*
Hier : *Gisteren*
Horloge : *Klok*
Là-haut : *Daar boven*
Maintenant : *Nu*
Minute : *Minuut*
Montre : *Horloge*
Où : *Waar*
Pendant : *Gedurende*
Près : *Dichtbij*
Quand : *Wanneer*
Quart d'heure : *Kwartier*
Tard : *Laat*
Tôt : *Vroeg*
Quelle heure est-il ? :
Hoe laat is het ?
Il est une heure :
Het is één huur
Il est midi : *Het is middag*
Il est minuit : *Het is*
middernacht

Faire du shopping

Antiquité : *Antiek*
Argent : *Geld*
Argent (matière) : *Silver*
Bottes : *Laarzen*
Boutique : *Winkel*
Carreau : *Ruit* / Tissu à
carreaux : *Ruitenstof*
Casquette : *Pet*

Ceinture : *Riem*
Chapeau : *Hoed*
Chaussures : *Schoenen*
Chaussures à lacets : *Schoenen*
met veters
Chaussettes : *Soken*
Chemise : *Hemd*
Coton : *Katoen*
Cravate : *Das*
Cuir : *Leer, Leder*
Dentelle : *Kantwerk*
Drap : *Laken*
Étiquette : *Etiket*
Grand Magasin :
Groot warenhuis
Imperméable : *Regenjas*
Jouet : *Speelgoed*
Jupe : *Rok*
Jupe droite : *Rechte rok*
Jupe plissée : *Plooi rok*
Lacet : *Veter*
Laine : *Wol*
Livre : *Boek*
Marché : *Markt*
Mocassin : *Mocassin*
Mode : *Mode*
Nappe : *Tafelkleden*
Napperon : *Tafelset*
Or : *Goud*
Pardessus : *Overjas*
Pointure : *Maat*
Pois : *Nopje* / Tissu à pois :
Nopjesstof
Pull-over : *Pullover, trui*
Prix : *Prijs*
Rayure : *Streep* / Tissu à
rayures : *Stof met strepen*
Rétrécir : *Krimpen*
Robe : *Jurk*
Sac : *Zac* / Sac à main :
Handtas
Serviettes : *Servetten*
Soie : *Zeide*
Soldes : *Uitverkoop, Koopjes*
Sous-vêtements : *Ondergoed*
Soutien-gorge : *B.H.*
(Bustenhouder)
Supermarché : *Supermarkt*
Taie d'oreiller : *Kussensloop*
Talons haut : *Hoge hakken*
Uni : *Effen, Effenstof*
Veste : *Jas*
Veste croisée :
Gekruisde jas
Veste droite : *Rechte jas*

À la douane

Carte d'identité :
Identiteitskaart
Carte verte : *Groene kaart*
Devises étrangères :
Vreemde valuta
Douanier : *Douanier*
Objets personnels :
Persoonlijke zaken
Objets usagés : *Gebruike*
persoonlijke zaken
Passeport : *Paspoort*

Rien à déclarer ? :
Iets aantegeven ?

À l'hôtel

Une chambre à un lit :
Één kamer met éénpersoonsbed
Une chambre à lit double :
Één kamer met één
tweepersoonsbed
Une chambre à deux lits :
Één kamer met twee bedden
Lit à deux places :
Tweepersoonsbed
Réservation : *Reservatie*
Salle de bains particulière :
Privé badkamer
Avez-vous des chambres ? :
Zijn er nog kamers vrij ?
Je voudrais une chambre :
Ik zou graag een kamer
Quel est le prix ? :
Wat is de prijs ?

Au restaurant

Addition : *Rekening*
Agneau : *Lamsvlees*
Assiette : *Bord*
Beurre : *Boter*
Bière : *Bier*
Bœuf : *Rundvlees*
Boisson (sans alcool) : *Drank*
Boisson alcoolisée :
Sterke drank
Bouteille : *Fles*
Canard : *Eend*
Côtelette : *Koteletje*
Couteau : *Mes*
Cuillère : *Lepel*
Déjeuner : *Lunch*
Dessert : *Nagerecht*
Dîner : *Diner*
Eau : *Water*
Fourchette : *Vork*
Fromage : *Kaas*
Huile : *Olie*
Menu (Carte) : *Menukaart*
Moutarde : *Mosterd*
Pain : *Brood*
Petit déjeuner : *Ontbijt*
Pommes frites : *Friten*
Repas : *Maaltijd*
Rôti : *Gebraad*
Salade : *Salade*
Viande : *Vlees*
Vin : *Wijn*
Service compris :
Dienst inbegrepen
Garçon : *Garçon, ober*

En ville

À droite : *Rechtsaf*
À gauche : *Linksaf*
Église : *Kerk*
Métro : *Sneltram, metro*
Rue : *Straat*
Taxi : *Taxi*
Timbre-poste : *Postzegel*
Tournant : *Bocht*

Ce guide a été établi et mis à jour par **Katherine Vanderhaeghe**.
Ont également collaboré Sandra Guinand, Élodie Louvet, Jean-Pierre
Marenghi et Laure Mery.
Conception graphique de la couverture : Thibault Reumaux
Mise en pages : Chrystel Arnould
Cartographie : Cyrille Suss

Aussi soigneusement qu'il ait été établi, ce guide n'est pas à l'abri des changements de dernière
heure, des erreurs ou omissions. Ne manquez pas de nous faire part de vos remarques. Informez-
nous aussi de vos découvertes personnelles, nous accordons la plus grande importance au
courrier de nos lecteurs.

Guides *Un Grand Week-End*, Hachette Tourisme, 43 quai de Grenelle – 75905 Paris Cedex 15
E-mail : weekend@hachette-livre.fr

Crédit Photographique

Intérieur
Laurent Parrault : pp. 3 (ht.g., c.), 10 (c.d.), 12 (c.d.), 13 (ht.d., b.d.), 14, 15 (ht.c., b.d., b.c.), 16 (ht.d., b.d.), 17 (ht.d., b.), 18 (ht.d.), 19 (ht.g., c.d., b.), 20 (ht., b.), 21 (c.d., c.g., c.c.), 22 (ht., b.), 23 (c.c.), 24, 25, 26 (ht.c.), 27 (ht., b.g.), 28 (ht., b.), 30, 31, 32, 33, 38 (b.g.), 39, 40, 41, 42, 43, 45 (ht.g., c.c., b.d., b.g.), 46, 47 (ht., b.g., b.d.), 48, 49, 50, 51 (ht.c., b.), 52, 53 (c.d., b.d., b.c., b.g.), 54, 55 (c.c., b.g., b.d.), 56 (b.d.), 57, 58, 59 (ht.d., c.c.), 60 (c.d., b.d.), 61, 62 (b.g.), 63 (ht., b.), 64 (c.d.), 65, 66 (ht., b.), 67 (ht.g., ht.c., ht.d., c.g., c.c.), 68 (c.d.), 69 (b.c.), 71, 76 (b.), 77, 80 (c.g., c.c.), 81 (c.d., b.g., b.d.), 84 (ht., b.), 85, 86 (ht., c.g.), 87 (ht., b.c.), 88, 89, 90, 91, 92 (ht.), 93 (ht.g., c.c., c.g.), 94 (ht., b.), 95 (ht.c., ht.d., b.), 96, 97, 98 (ht.g., b.d.), 99 (ht.c.), 100, 101, 102 (ht., b.), 103, 104 (b.), 105, 106, 107 (ht.c., ht.d., ht.g., c.d., b.d.), 108 (ht., b.), 110 (ht.c.), 111 (c.g., c.d., b.), 112, 113 (c.d.), 117, 119 (b.d.), 120 (ht.), 122 (ht.g.), 123 (ht.c.), 124 (ht.g., ht.c., ht.d., b.g.), 125 (ht.g., c.d., b.d.), 126, 127, 128, 129, 132, 133 (ht.), 136, 137.

Christian Sarramon : pp. 2 (ht.c.), 3 (b.d.), 12 (ht.c., b.c.), 13 (c.g.), 16 (c.c.), 17 (c.d.), 18 (c.d., b.g.), 19 (ht.c.), 20 (c.d.), 22 (c.c.), 23 (b.d.), 26 (ht.d.), 27 (c.g., c.d.), 28 (c.d.), 29, 38 (b.d.), 53 (ht.c.), 56 (c.d., b.d.), 59 (c.d., b.g., b.d.), 60 (b.g.), 64 (b.d.), 72 (ht.d.), 75 (ht.), 80 (b.d.), 99 (ht.d.), 104 (ht., c.d.), 107 (c.c.), 108 (c.g.), 109 (ht.d.), 110 (c.d.), 118, 119 (ht., b.g.).

Nicolas Edwige : pp. 45 (ht.d.), 51 (c.g.), 55 (ht.g.), 63 (c.g.), 66 (c.d.), 68 (b.c.), 69 (ht.g., ht.c., b.d.), 74, 76 (ht.), 78 (c.g.), 79 (ht.), 84 (c.g.), 86 (b.c.), 92 (c.d.), 93 (b.d.), 94 (c.d.), 99 (c.d., b.d.), 102 (c.d., c.g.), 109 (b.), 120 (b.), 121, 122 (c.d.), 123 (b.), 124 (b.d.), 125 (c.c., b.g.), 130 (c.c., b.g.), 131, 133 (b.), 135.

Éric Guillot : p. 113 (ht.c.).

Katherine Vanderhaeghe : p. 17 (ht.g.).

Hachette : pp. 10 (ht.c.), 10-11 (b.), 11, 13 (ht.c. DR), 15 (b.g.), 21 (b.g.), 44 (DR), 46, 47 (c.c.), 62 (c.d.).

Smokiana : p. 21 (ht.). **De Gouden Reael** : p. 67 (c.d.). **Canal House** : p. 73 (ht.g.). **Ambassade Hotel** : p. 73 (b.d.). **Toro Hotel** : p. 75 (b.). **Le Garage** : p. 78 (b.). **Zabar's** : p. 79 (b.). **The Pancake Bakery** : p. 80 (ht.d.). **De Admiraal** : p. 81 (c.c.). **Van Heek** : p. 86 (c.d.). **Eva Damave** : p. 87 (b.d.). **Riviera** : p. 92 (c.g.). **Kashba** : p. 95 (ht.g.). **Pakhuis Amsterdam** : p. 98 (c.d.). **Unlimited Delicious** © Peter Schut : p. 111 (ht.d.). **Second Best** : p. 113 (b.d.). **Van Gogh Museum** : p. 125 (ht.d.). **Office néerlandais du tourisme** Maison de Rembrandt : p. 130 (ht.d.). **Van Gogh Museum** © Jannes Linders : p. 134 (ht.d., b.g.). **Van Gogh Museum** : p. 135 (c.g.).

Couverture
© **Nicolas Edwige**, sauf 3e bandeau (fleurs) et détouré (faïence) © **Laurent Parrault**; personnages en bas à gauche © **Getty Images / Suza Scalora**

Quatrième de couverture
© **Nicolas Edwige**, sauf ht.d. (détouré) © **Laurent Parrault**

Rabat avant
Getty Images / Suza Scalora

Illustrations

Pascal Garnier

*Conformément à une jurisprudence constante (Toulouse 14-01-1887), les erreurs ou omissions
involontaires qui auraient pu subsister dans ce guide, malgré nos soins et les contrôles de l'équipe
de rédaction, ne sauraient engager la responsabilité de l'éditeur.*

Régie exclusive de publicité : Hachette Tourisme – 43, Quai de Grenelle – 75905 Paris Cedex 15.
Contact Dana Lichiardopol : ☎ 01 43 92 37 94. Le contenu des annonces publicitaires insérées dans
ce guide n'engage en rien la responsabilité de l'éditeur.

Imprimé en France par I.M.E.

Dépôt Légal : 39630 – Novembre 2003 – Collection N°44 – Edition : 01
ISBN : 2.01.243849-0 – 24/3849/7